KB032571

신개념 스포츠지도사 문제집 2023

시험 대비

노인체육론

단원별 출제빈도 분석

단원	2015노인	2016노인	2017노인	2018노인	2019노인	2020노인	2021노인	2022노인	누계(개)	출제율(%)
제1장 노화와 노화의 특성	5	5	5	6	3	4	7	7	42	26
제2장 노인 운동의 효과	3	3	6	5	4	2	3	4	30	19
제3장 노인 운동프로그램의 설계	4	8	3	3	4	7	5	4	38	23
제4장 질환별 운동프로그램 설계	5	1	4	2	6	4	2	2	26	16
제5장 노인체육의 효과적인 지도	3	3	2	4	3	3	3	3	24	16
합계	20	20	20	20	20	20	20	20	160	100

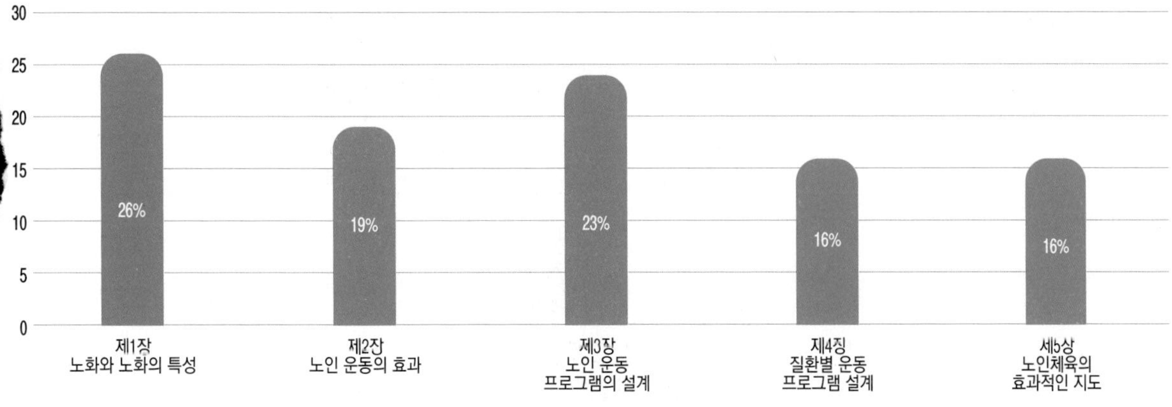

단원별 출제비율 그래프

01 Chapter 노화와 노화의 특성

노화의 개념

1 노화의 정의

나이가 들어 신체의 전반적인 활력이 떨어지고 모든 생리적 기능이 저하되는 과정을 노화라고 한다. 세포의 단백질 합성능력의 감소, 면역기능의 저하, 근육의 축소, 근력의 감소, 체내의 지방 성분 증가, 골밀도의 감소 등이 동반된다.

2 노화의 특징

보편성	노화는 모든 사람에게 보편적으로 일어난다. 노화는 모든 동 · 식물에서도 일어나는 하나의 자연현상이다.
내인성	노화의 주원인은 체내에 있다.
쇠퇴성	노화는 신체기능에 부정적인 영향을 미쳐 사망에 기여한다.
점진성	노화는 점진적으로 일어난다.

3 스피르두소의 신체적 능력 5단계

단계	능력 수준	활동 내용
1단계	신체적으로 의존 수준	·일상생활에서 기본적인 활동 불가 ·가정이나 시설에서 보호 필요
2단계	신체적으로 연약 수준	·일상생활의 기본적인 활동 가능 ·가벼운 집안 일, 조리 ·집 밖으로 이동 제한
3단계	신체적으로 독립 수준	·신체적 부담이 적은 가벼운 신체활동 ·여행, 운전 등 도구를 이용한 일상생활 가능
4단계	신체적으로 단련 수준	·중간강도의 신체활동 ·지구력 스포츠와 취미 활동 가능
5단계	신체적으로 아주 잘 단련 수준	·경쟁 스포츠 활동 ·고위험 및 파워 스포츠 가능

4 노인의 분류

나이로	연소노인(65~74세), 중고령노인(75~84세), 고령노인(85~99세), 초고령노인(100세 이상)
남아 있는 신체기능의 정도로	신체적으로 잘 단련된 노인, 단련된 노인, 독립적인 노인, 연약한 노인, 의존적인 노인
국가의 인구 중 노인들이 차지하는 비율로	고령화사회(7% 이상), 고령사회(14% 이상), 초고령사회(21% 이상)

5 노인스포츠지도사가 갖추어야 할 지식 또는 경험

☞ 노인성 질환의 발병기전과 특성
☞ 운동 시 주의해야 할 사항에 대한 의학적 지식
☞ 신체적 허약을 극복할 수 있는 체력요인에 대한 지식
☞ 넘어짐을 방지하기 위한 다감각훈련에 관한 지식과 경험

노화이론

노화와 관련된 학설은 수백 개에 이르고, 어느 한 가지 이론으로 설명하기에는 한계가 있다.

1 생물학적 노화이론

유전적 노화 이론	DNA 속에 노화의 속성이 저장되어 있어서 정해진 시기에 이르면 세포를 노화시켜서 노화가 진행된다.
유전자 돌연변이 이론	DNA 복구 시스템이 비정상적으로 작동하면 돌연변이 세포가 만들어지고, 돌연변이 세포가 누적되면서 노화가 진행된다.
사용마모 이론	기계가 마모되듯이 인체의 세포도 점진적으로 닳아 없어지면서 노화가 진행된다.
손상이론	세포 손상의 누적이 세포의 기능장애를 일으키는 요소로 작용하여 노화를 진행시킨다.
노폐물 누적이론	살아가는 동안 인체 내부에 노폐물이 축적되고, 축적된 노폐물이 세포기능이 정상적으로 작동하는 것을 방해해서 노화가 진행된다.
교차연결(결합) 이론	세포 내부의 분자들이 서로 교착되어서 세포의 기능이 저하됨으로써 노화가 진행된다.
산화기 이론	체내에 남아 있는 산화기(활성산소)가 세포막과 결합하여 세포막을 변형시켜서 노화가 일어난다.
점진적 불균형 이론	신경계통과 내분비계통의 세포들이 약간씩 줄어들면서 불균형상태가 되어 노화가 진행된다.
면역이론	체내의 면역체계가 항체를 만들 때 정상세포까지 파괴하는 항체를 조금씩 만들고, 그 항체들이 누적되면서 노화가 진행된다.

2 심리학적 노화이론

사람이 생물학적으로 늙어갈 때 어떻게 해야 심리적으로 늙는 것을 예방하거나 지연시킬 수 있는지 그 방법에 대한 이론이다.

자아발달단계(통합) 이론	Erickson(1963)은 출생에서 노년까지의 자아발달을 8단계로 나누고, 맨 마지막 단계를 노년기로 보았다. 노년기 : 자아통합 vs 절망
발달과업 이론	Havighurst(1972)는 생애주기를 6단계로 구분하고, 각 단계에서 주어진 과업을 완수하는지 여부가 행복에 결정적인 역할을 한다고 주장하였다.
사회적 와해 이론	Kuypers & Bengtson(1973)은 심리적으로 허약한 개인이 주변 환경으로부터 부정적인 반응을 받게 되고, 그 결과로 자아개념이 무너지면서 사회적으로 와해된다고 주장하였다.
성공적 노화 이론	Baltes(1990)는 노후에는 신체 및 지적 퇴화로 인해 젊었을 때처럼 사회활동에 적극적으로 참여할 수 없지만, 개인에게 일과 보상이 수어진다면 성공적인 노화를 보낼 수 있다고 주장하였다.

▶에릭슨의 심리사회적 발달단계

건강하게 발전하는 사람이 출생 시부터 성인기까지 통과해야 하는 8단계를 식별하는 정신분석이론

성격특성 (과업 vs 위기)	연령	관계	질 문
신뢰 vs 불신	0~1세 (영아, 젖먹이)	엄마	믿을 수 있는가?
자율성 vs 수치심과 의심	2~3세 (걸음마단계의 아기)	부모	그것이 내게 좋은 것인가?
주도성 vs 죄의식	4~6세 (미취학 아동)	가족	내가 하거나, 움직이거나, 활동하기 좋은 것인가?
역량 vs 열등감	7~12세 (초등학생)	학교, 이웃	나는 사람과 사물의 관계에서 무엇을 창조할 수 있는가?
독자성 vs 혼돈	13~19세 (십대)	또래, 역할모델	나는 누구인가? 나는 무엇이 될 수 있을까?
친밀감 vs 고립감	젊은 성인	연인 사이	나는 사랑할 수 있을까?
생산성 vs 침체	중년 성인	가정, 동료	내 삶은 스스로 인정할 수 있는가?
자아주체성 vs 절망	노년기	사람	내 스스로 나의 삶에 만족했었는가?

3 사회학적 노화이론

노화과정에서 나타나는 개인적 특성이나 행동, 노년기에 일어나는 사회적 관계와 역할의 변화를 사회학적 측면에서 설명하는 이론들이다.

사회분리(유리) 이론	노인의 사회적 역할과 상호작용을 감소시켜서 노인들을 사회에서 분리시킨다.
활동 이론	노인의 사회활동 참여도가 높을수록 심리적 만족감과 생활만족도가 높아진다.
사회교환 이론	노인이 되면 젊은 사람보다 가지고 있는 교환자원의 가치나 양이 열세이기 때문에 사회에서 열등한 지위로 내몰리게 된다.
지속성 이론	노인마다 각기 다른 노화패턴을 가지고 있으므로 노인이 자신의 기준대로 사회에 적응해나가도록 돕는 것이 성공적인 노화를 돕는 일이다.
연령계층 이론	Riley & Foner(1968)는 연령집단에 따라 사회적 계층화가 나타나게 된다고 주장하였다.
하위문화 이론	Rose(1965)는 한 범주에 속하는 구성원들끼리 더 많은 관계를 유지하면서 독특한 하위문화를 형성하듯 노인들도 그들만의 하위문화를 형성시킨다고 주장하였다.
현대화 이론	사회구조 및 사회체제의 변화가 세대 간의 이질성을 심화시켰기 때문에 노인들의 신분이 하락하였다고 주장하였다.

성공적인 노화

1 성공적인 노화의 모델

Rowe & Kahn(1998)은 성공적인 노화의 3가지 요인을 다음과 같이 주장하였다.

- ☞ 질병과 그와 관련된 장애 가능성이 낮은 상태
- ☞ 높은 수준의 신체적·정신적 건강상태 유지 기능
- ☞ 활기찬 인생 참여(사회활동)

2 성공적인 노화를 촉진하는 방안

- ☞ 노인의 건강증진을 위한 생활습관의 관리와 2차적 예방이 이루어져야 한다.
- ☞ 심리적으로 만족스럽고, 정신적으로 건강한 삶을 영위할 수 있도록 원조하여야 한다.
- ☞ 경제적 안정을 위한 지원을 해야 한다.
- ☞ 경제발전이나 사회발전에 기여할 수 있는 활동에 참여할 수 있는 기회를 부여해야 한다.
- ☞ 사회적 관계 유지와 적극적 여가 참여를 지원해야 한다.

노화에 따른 변화

1 신체적 및 생리적 변화

외관상의 변화	골반의 지름이 증가하고, 어깨너비가 좁아진다. 피부의 탄력이 감소하고, 신장이 줄며, 자세가 구부정해진다.
신체기능과 조성의 변화	복부 내장지방의 증가로 체지방 비율이 증가하고, 수분과 고형성분의 비율이 감소한다.
시력 및 청력의 변화	시력과 청각이 감퇴되어 노안과 난청이 된다. 전정기관의 기능저하로 평형성 유지가 어려워진다.
감각기관의 변화	기본적으로 외부를 인식하는 오감이 모두 퇴화한다.
신체기관의 변화	호흡기계의 약화, 치아결손, 소화기능의 감퇴, 신장기능의 저하, 신경 전달속도의 저하, 호르몬 분비의 감소 등이 일어난다.
회복능력의 변화	신체조직의 기능저하로 회복하는 기능이 감퇴한다.
신경기능의 변화	기억력, 주의력, 지능 등 인지기능이 저하되고, 반응시간이 느려지며, 감각정보를 통합하는 능력이 저하된다.
심혈관계의 변화	·최대심박출량 감소 ·최대1회박출량 감소 ·최대심박수 감소 ·최대산소섭취량의 점진적 감소 ·심장근육의 수축시간 연장 ·수축기 혈압의 점진적 증가 ·운동하는 동안 분비된 카테콜아민에 대한 심장근육 반응 감소 ·운동하는 근육으로 혈액흐름 감소 ·동정맥산소차 감소 ·근육의 산화능력 감소 ·근육 미토콘드리아의 숫자와 밀도 감소

호흡계의 변화	•잔기량 증가 •1회호흡량 감소 •폐의 탄력성 감소 •흉곽의 경직성 증가 •호흡기의 근력 감소 및 호흡기 중추신경활동의 민감성 감소
근육계의 변화	•근육량 감소 및 운동단위 감소 •근력 · 근파워 · 근지구력 감소 •근육미토콘드리아의 유산소효소 활성 감소
신경계의 변화	•기억 · 주의력 · 지능 · 정보처리속도를 포함한 인지기능 저하 •단순반응시간과 선택반응시간 및 신경전도속도 감소 •체성감각 · 고유수용감각 · 전정계기능 감소 •시청각기능 감소

2 심리적인 변화

☞ 가족과 사회 구성원으로서의 역할기능이 축소되거나 상실되면서 허탈감에 빠지기 쉽다.

☞ 고집과 거부 성격을 띠게 되고, 자신의 역할 기능을 계속 하려고 한다.

☞ 새로운 상황에 대한 학습이나 적응에 어려움을 겪고, 말이 많고, 과거에 집착한다.

☞ 무력감을 느끼고, 질투심이 많아지며, 우울 경향과 내향성 및 수동성이 증가한다.

☞ 조심성과 사고의 경직성이 증가한다.

☞ 친근한 사물에 대한 애착심이 증가하고, 시간 전망이 달라진다.

3 사회적인 변화

노인에게 사회적 역할 변화를 가져오게 하는 대표적인 사건은 은퇴, 배우자와 친족의 상실, 자녀의 결혼이다.

은퇴	은퇴는 여러 가지 의미에서 인생의 분기점이 된다. 장년기에서 노년기로의 이행이며, 노동을 끝내고 새로운 여가생활로 이행해 가는 분기점이 된다. 이 시기에 노인은 다양한 감정을 경험하게 한다.
배우자와 친족의 상실	노인들은 죽음에 대해 더 많이 생각하게 된다. 배우자나 친구와 사별하는 경우 막연하게 느끼던 죽음이 현실화되면서 심한 허무감, 절망감, 고독감을 갖게 된다.
자녀의 결혼	남성 노인은 가장의 자리를 아들에게 인계함에 따라 고독감을 느끼게 되고, 여성 노인은 자식이 성장하여 자립하게 되면 '빈둥지증후군'을 경험하게 된다.
지위와 역할의 변화	한 개인이 행사할 수 있는 권력, 재력 또는 사회적 영향력은 그 사람의 삶의 질을 결정하는 매우 중요한 요소이다. 그런데 노년기에는 이전에 획득했던 사회적 지위와 역할을 상실하는 경우가 대부분이다.
사회관계망의 변화	친구나 배우자의 상실과 부양자의 위치에서 피부양자로 전환되는 과정에서 사회관계망이 크게 줄어든다.
연령규범과 사회화	사회가 특정 연령대에 있는 사람에게 요구하거나 기대하는 적합한 행동이나 가치를 연령규범이라고 한다. 노인의 연령규범에 대한 사회적 합의가 이루어져야 한다.

필수 및 심화 문제

필수문제

01 건강수명에 대한 설명으로 적절하지 않은 것은?

① 건강과 일상생활의 기능을 유지하는 기간을 뜻한다.
② 질병이나 신체장애 없이 생존한 삶의 기간을 뜻한다.
③ 성별·연령별로 몇 년을 더 살아갈 것인지 통계적으로 추정한 기대치로 생존연수를 뜻한다.
④ 신체적·정서적·인지적 활력 또는 기능적 웰빙을 유지할 것으로 예상되는 삶의 기간을 뜻한다.

심화문제

02 '심각한 질병이나 신체장애 없이 생존할 것으로 예상되는 삶의 기간'을 무엇이라고 하는가?

① 기대수명 ② 평균수명 ③ 건강수명 ④ 행복수명

■ **기대수명** : 출생아(0세)가 앞으로 생존할 것으로 기대되는 평균 생존연수
■ **평균수명** : 일정한 지역 주민들의 수명을 평균한 것
■ **건강수명** : 평균수명에서 질병이나 부상 때문에 활동하지 못한 기간을 뺀 기간. 단순히 얼마나 오래 살았는지가 아니라 실제로 활동을 하며 건강하게 산 기간을 나타내는 지표
■ **행복수명** : 경제적 가치와 건강 등을 모두 충족하면서 행복하게 산 기간
■ ③과 같이 통계적으로 추정한 기대치는 기대수명이다.

필수문제

03 노화에 대한 설명으로 옳은 것은?

① 노화는 60세 이후 시작된다.
② 노화는 대부분의 사람들이 겪는 신체기능의 점진적 감퇴를 수반한다.
③ 노화는 일률적이고 개인차가 없이 누구나 겪는 과정이다.
④ 성공적 노화는 수명연장에 따른 연대기적 나이로 평가한다.

■ 노화는 누구나 겪는 과정이라는 말은 맞지만, 개인차가 없다는 말은 틀렸다.
■ 성공적 노화 → p. 5 참조

필수문제

04 보기에서 설명하는 연령지표는?

보기
» 가장 보편적인 지표로 출생 이후 살아온 시간의 길이를 의미한다.
» 노인의 경우, 연소노인(young-old : 65~74세), 중고령 노인(middle-old : 75~84세), 고령노인(old-old : 85~99세), 초고령노인(oldest-old : 100세 이상)으로 구분한다.

① 기능적 연령(functional age) ② 생리적 연령(physiological age)
③ 심리적 연령(psychological age) ④ 연대기적 연령(chronological age)

■ **연대기적 연령** : 살아온 햇수를 의미
■ **기능적 연령** : 같은 나이 · 성별의 사람들과 비교한 체력적 요인을 바탕으로 한 연령 구분
■ **생리적 연령** : 질병, 적응력 상실, 기능적 능력 감소 등으로 죽음을 이르게 하는 체내의 과정

정답 01 : ③, 02 : ③, 03 : ②, 04 : ④

심화문제

05 보기에서 설명하는 연령지표는?

■ **심리적 연령** : 개인의 심리적 성숙도. 환경 변화에 대한 적응력, 스트레스 대처 능력, 인간관계 형성 능력, 독립성이 연령 구분의 기준이 됨
■ **주관적 연령** : 자기 스스로 느끼는 연령.

> 보기
> » 연령적 노화라고 일컬어지는 출생 이후의 햇수인 역연령과 대비되는 개념이다.
> » 연령과 성을 기준으로한 기능적 체력과 관련이 있다.
> » 신체 연령이라고도 말한다.

① 기능적(functional) 연령　② 주관적(subjective) 연령
③ 심리적(psychological) 연령　④ 연대기적(chronological) 연령

06 기능적 나이(functional age)에 포함되지 않는 것은?

■ 연대기적 나이는 역연령과 같은 말이다.

① 신체적 나이(physiological age)　② 연대기적 나이(chronological age)
③ 사회적 나이(social age)　④ 심리적 나이(psychological age)

필수문제

07 보기는 Spirduso 등이 노인의 기능상태를 5가지 범주로 분류한 것이다. (　) 안에 들어가야 할 범주가 잘 짝지어진 것은?

■ 노인의 기능상태 5단계
· 신체적 의존
· 신체적 허약(연약)
· 신체적 자립
· 신체적 건강(단련)
· 신체적 엘리트

> 보기
> (㉠) – 신체적 허약 – (㉡) – 신체적 건강 – 신체적 엘리트

① ㉠ 신체적 장애 ㉡ 신체적 보통　② ㉠ 신체적 의존 ㉡ 신체적 자립
③ ㉠ 신체적 장애 ㉡ 신체적 독립　④ ㉠ 신체적 의존 ㉡ 신체적 독립

08 스피르두소(W. Spirduso)의 신체적 능력 5단계에서 보기의 활동이 가능한 노인의 신체 기능 수준은?

> 보기
> » 경쟁스포츠 (예 : 축구, 농구 등)
> » 파워스포츠 (예 : 역도, 원반던지기 등)
> » 모험스포츠 (예 : 행글라이딩, 레프팅 등)

① 신체적으로 연약한 수준　② 신체적으로 독립적 수준
③ 신체적으로 단련된 수준　④ 신체적으로 아주 잘 단련된 수준

정답　05 : ①, 06 : ②, 07 : ②, 08 : ④

필수문제

09 노인스포츠 지도사의 마음가짐으로 적절하지 못한 것은?

① 운동이 신체에 미치는 긍정적인 효과를 노인 참여자들에게 설명함으로써 동기를 유발시킨다.
② 운동 중재가 노인들의 자기효능감을 향상시키고, 일상생활의 적응도를 향상시켜 노후 삶의 질을 향상시킨다는 것을 알린다.
③ 기능 제한이 있는 노인들에게 기능 제한을 극복할 수 있는 다양한 방법을 제시하고 독려함으로써 문제해결 능력을 향상시키고, 문제해결을 돕는다.
④ "얼마나 오래 살 수 있는가?"라는 과제를 해결하여야 된다는 사명감을 가지고 노인스포츠 지도에 임한다.

■노인스포츠지도사는 "얼마나 오래 살 수 있는가?"라는 과제가 아니고, "얼마나 건강하고, 생산적이며, 성공적인 노화과정을 거치는가?"라는 과제해결을 위한 사명감을 가져야 한다.

심화문제

10 노인 운동지도 시 "자신의 능력에 최대한 맞게 운동을 하되, 무리하거나 통증을 발생하거나 스스로 안전하다고 생각하는 수준을 넘어서지 않게 운동하도록" 지도해야 한다는 뜻을 가진 운동원리는?

① 기능관련성(functional relevance)
② 과부하(overload)
③ 난이도(challenge)
④ 수용(accommodation)

■노인 운동지도 시에 자신의 능력에 최대한 맞게 운동하되, 무리하거나 통증이 발생하지 않고 스스로 안전하다고 생각하는 수준을 넘지 않도록 운동을 지도해야 한다는 것이 수용이다.

11 보기에서 바람직하지 않은 노인스포츠지도사는?

> 보기
> 김 지도사 : 어르신의 이해를 돕기 위해 시각 정보 없이 언어 정보만을 제공한다.
> 박 지도사 : 어르신들의 신체활동에 대한 개인차를 고려하여 수준별로 운동을 지도한다.
> 최 지도사 : 어르신의 특성을 고려해서 한 번에 한두 가지의 동작에 대한 시범을 보여준다.
> 이 지도사 : 운동을 지도할 때, 어르신들이 이해할 수 있는 언어와 그림을 함께 사용한다.

① 김 지도사　　② 박 지도사
③ 이 지도사　　④ 최 지도사

■어르신의 이해를 돕기 위해서는 언어 정보뿐만 아니라 시각적인 정보도 제공해야 한다.

정답 09 : ④, 10 : ④, 11 : ①

■노화는 시간의 흐름에 따라 생리적·심리적·사회적으로 일어나는 모든 변화의 총체이다.
■노화에 의해 신체적·심리적·사회적 발달이 종료되지 않는다.
■노화의 예방에 따라 유지되거나 쇠퇴할 수 있다.

필수문제

12 노화의 특성으로 적절하지 않은 것은?

① 노화는 생물학적 노화, 심리적 노화, 사회적 노화의 과정을 포함한다.
② 생물학적 노화는 모든 사람에게 보편적으로 일어나는 것이다.
③ 노화의 속도와 기능 저하의 정도는 개인차가 존재한다.
④ 신체적·심리적·사회적인 발달과정이 종료된다.

■① 고령사회는 노인인구의 비율이 14% 이상이다.
■② 고령화사회가 되면 복지비용과 의료비가 증가한다.
■④ 손상이론과 점진적 불균형이론은 생물학적 노화이론이다.

필수문제

13 노인과 관련된 설명 중 바른 것은?

① 전체 인구 중 65세 이상의 노인인구가 차지하는 비중이 20% 이상일 때 '고령사회'라고 한다.
② 사회가 고령화되면 복지비용은 감소하고 의료비의 비중도 감소한다.
③ 성공적 노화란 신체적·인지적 기능뿐만 아니라 사회적 역할과 생산 활동 등에 적극적으로 참여하는 것을 말한다.
④ 노화의 사회적 이론으로는 손상이론과 점진적 불균형이론 등이 있다.

심화문제

■고령화사회 : 7% 이상
■고령사회 : 14% 이상
■초고령사회 : 20% 이상

14 국가의 인구 중에 65세 이상의 노인들이 차지하는 비율이 커짐에 따라서 고령화사회, 고령사회, 초고령사회로 나눈다. 고령사회는 노인인구가 전체인구의 몇 % 이상인가?

① 7% 이상 ② 14% 이상 ③ 21% 이상 ④ 28% 이상

■연소노인 : 65~74세
■중고령노인 : 75~84세
■고령노인 : 85~99세
■초고령노인 : 100세 이상

15 나이에 따라서 노인을 연소노인, 중고령노인, 고령노인, 초고령노인으로 분류한다. 중고령노인은?

① 65~74세 ② 75~84세 ③ 85~99세 ④ 100세 이상

■연속성(지속성) 이론은 가장 성공적으로 늙는 사람은 긍정적인 건강습관과 선택, 생활방식, 인간관계를 중년부터 노년까지 지속하는 사람이라는 이론이다.

16 노화의 이론 중 '연속성 이론'에서 성공적으로 노화를 이룬 사람의 특징으로 바르지 않은 것은?

① 긍정적 건강습관 ② 좋은 직장
③ 올바른 생활방식 ④ 좋은 인간관계

정답 12 : ④, 13 : ③, 14 : ②, 15 : ②, 16 : ②

필수문제

17 보기의 ㉠~㉢에 해당하는 노화의 생물학적 이론이 바르게 연결된 것은?

보기

» (㉠) : 유전적 요인이 노화의 속도를 결정한다.
» (㉡) : 세포손상의 누적이 세포의 기능장애에 결정요소로 작용한다.
» (㉢) : 인체기관이 다른 속도로 노화하면서 신경내분비계에 불균형을 초래한다.

	㉠	㉡	㉢
①	유전적 이론	손상 이론	점진적 불균형 이론
②	성공적 노화이론	손상 이론	점진적 불균형 이론
③	손상 이론	점진적 불균형 이론	유전적 이론
④	지속성 이론	점진적 불균형 이론	손상 이론

■ **유전적 노화이론** : DNA에 저장된 노화의 속성 때문에 정해진 시기가 되면 노화가 진행됨.
■ **손상이론** : 세포손상의 누적은 세포기능에 장애를 일으켜 노화를 진행시킴.
■ **점진적 불균형이론** : 신경계통과 내분비계통의 세포들이 약간씩 줄어들어 불균형상태가 됨으로써 노화가 진행됨.

필수문제

18 보기는 생물학적 노화이론에 대한 설명이다. ㉠, ㉡에 들어갈 용어를 바르게 나열한 것은?

보기

» (㉠) : 분자들이 서로 엉켜서 조직이 탄력성을 잃고 세포 내 · 외부로의 영양소와 화학적 전달물질 교환을 방해하는 현상
» (㉡) : 신체기관도 기계처럼 오래 사용하면 기능이 약화되고 정지되는 것처럼 점진적으로 퇴화되는 현상

	㉠	㉡
①	신체적 변이이론 (somatic mutation theory)	면역반응이론 (immune reaction theory)
②	교차결합이론 (cross-linkage theory)	사용마모이론 (wear and tear theory)
③	신체적 변이이론 (somatic mutation theory)	사용마모이론 (wear and tear theory)
④	교차결합이론 (cross-linkage theory)	면역반응이론 (immune reaction theory)

■ **교차결합이론** : 노화가 진행되면 결합조직의 대형 분자들이 교차결합하여 폐, 신장, 혈관, 소화계, 근육, 인대, 건 등의 탄력성이 감소한다. 분자의 교차결합은 분자들을 서로 엉키게 만들어 세포 내부의 영양소와 화학전달물질의 수송을 방해한다.
■ **사용마모이론** : 기계도 오래 사용하면 기능이 약해지고 정지되듯이 신체기관도 노화가 진행될수록 점진적으로 퇴화한다.
■ **신체적 변이이론**(유전자돌연변이이론) : 세포가 상해를 입으면 본래의 성질이 변하는데, 변이된 세포가 축적되면서 노화가 일어난다는 이론.
■ **면역반응이론**(면역이론) : 항원에 노출되면 특별하게 대응하기 위하여 일련의 방이반응을 보인다는 이론.

정답 17 : ①, 18 : ②

심화문제

19 노화와 관련된 생물학적 이론과 그 설명이다. 잘못된 것은

① 유전적 노화이론 : DNA 속에 노화의 속성이 저장되어 있어서 정해진 횟수만큼 세포분열을 하면 노화된다.

② 사용마모 이론 : 기계가 마모되듯이 인체의 세포도 점진적으로 퇴화하면서 노화된다.

③ 교차연결 이론 : 세포손상이 누적되어 세포의 기능에 장애가 생기고 그것이 발전하여 노화된다.

④ 면역이론 : 체내의 면역체계가 항체를 만들 때 정상세포까지 파괴하는 항체를 조금씩 만들고, 그 항체들이 누적되면서 노화가 진행된다.

■ ③은 교차연결이론이 아니라 세포손상이론이다. 생물학적 노화이론(p. 3) 참조.

20 노화와 관련된 생물학적 이론이 아닌 것은?

① 유전적 이론　② 손상 이론

③ 점진적 불균형 이론　④ 교환 이론

■ 교환이론은 노인이 되면 교환자원의 가치와 양이 감소된다는 사회학적 노화이론이다.

21 신체 내부의 노화속도를 결정하는 데 있어 생물학적 이론과 관련이 없는 것은?

① 노화의 욕구단계 이론

② 노화의 유전학적 이론

③ 노화의 점진적 불균형 이론

④ 노화의 손상 이론

■ 욕구단계이론은 심리학적 이론이다.

필수문제

22 노인에게 운동과 스포츠를 지도할 때 꼭 필요한 지식이나 경험이 아닌 것은?

① 노인성 질환의 발병 기전과 특성

② 운동 시 주의해야 할 사항에 대한 의학적 지식

③ 신체적 허약을 극복할 수 있는 체력요인

④ 넘어짐을 방지하기 위한 다감각훈련에 관한 지식과 경험

⑤ 노화이론에 관한 지식

■ 노인스포츠지도사가 갖춰야 할 지식 또는 경험→p. 3 참조

정답　19 : ③, 20 : ④, 21 : ①, 22 : ⑤

23 보기에서 설명하는 노화이론은?

보기
» 자유기(free radical)에 의한 세포훼손이 일어난다.
» 결합조직의 엘라스틴과 콜라겐의 교차결합(cross linkage)이 폐, 신장, 혈관, 소화계, 근육 등의 탄력성을 감소시킨다.

① 유전적 이론 ② 손상 이론 ③ 연속성 이론 ④ 점진적 불균형 이론

■ **손상이론** : 세포의 손상이 누적되면 세포의 기능장애를 일으켜 노화를 진행시킨다는 이론

필수문제

24 보기의 ㉠, ㉡에 해당하는 노화와 관련된 심리학적 이론이 바르게 나열된 것은?

㉠	» 자부심과 만족을 느끼면서 자신의 삶을 되돌아볼 수 있으며 죽음을 위엄있게 받아들인다. » 삶에서 달성해야 하는 것들을 달성하지 못했다고 느끼며, 삶의 종말이 다가오는 것에 대해 좌절감을 느낀다.
㉡	» 성공적 노화는 신체적 · 정신적 · 사회적 손실에 적응하는 노인의 능력과 관련이 있다. » 기능적 능력을 향상함으로써 노화로 인한 손실을 보완하도록 도움을 준다.

	㉠	㉡
①	하비거스트(R. Havighust)의 발달과업 이론	로우(J. Rowe)와 칸(R. Kahn)의 성공적 노화 이론
②	하비거스트(R. Havighust)의 발달과업 이론	펙(R. Peck)의 발달과업 이론
③	에릭슨(E. Erikson)의 심리사회발달단계 이론	로우(J. Rowe)와 칸(R. Kahn)의 성공적 노화 이론
④	에릭슨(E. Erikson)의 심리사회발달단계 이론	발테스와 발테스(M. Baltes & P. Baltes)의 보상이 수반된 선택적 적정화 이론

■ **보상이 수반된 선택적 적정화이론(Baltes와 Baltes)** : 전생애에 일어나는 발달심리학의 관점에서 본 성공적인 노화이론으로 내용은 문제의 보기와 같다.
■ **성공적 노화이론** (Baltes) : 노화가 되면 신체적 · 지적 퇴화로 젊었을 때처럼 적극적인 사회활동은 어렵지만, 개인에게 일과 보상이 주어지면 성공적인 노화를 보낼 수 있다는 것.
■ **(사회)분리이론** : 노화가 되면 사회적 역할 및 상호작용의 감소로 인하여 사회에서 은퇴내지 분리된다는 것
■ **심리사회발달단계 이론(자아통합단계이론 : E. Erikson)** 성격은 8단계를 거쳐 발달하며, 각 단계마다 일정부분의 심리사회적 위기가 나타나는데, 성공적인 노화를 위해서는 이러한 위기가 해결되어야 한다. 이것을 극복한 긍정적 결과는 자부심과 만족을 느끼면서 자신의 삶을 되돌아볼 수 있게 되며, 죽음을 위엄 있게 받아들이게 된다. 반대로 부정적 결과는 삶에서 달성해야 할 것들을 달성하지 못했다고 느끼며, 삶의 종말이 다가오는데 대해 좌절감을 느끼게 된다.
■ p. 4 참조

정답 23 : ②, 24 : ④

심화문제

25 보기에서 설명하는 노화에 관한 심리학적 관점은?

■ 앞의 문제 14 해설 참조

> » 성공적 노화는 신체적, 정신적, 사회적 손실에 대한 적응력과 관련이 있다.
> » 기능적 능력의 향상을 통해 노화로 인한 손실을 보완하도록 도움을 준다.

① 성공적 노화 모델　② 분리이론
③ 자아통합 이론　④ 보상이 수반된 선택적 적정화 모델

26 노화와 관련된 심리학적 이론과 그 설명이다. 잘못된 것은?

① 심리적인 측면에서 노화과정은 마음이 점점 더 여리어지는 과정이다.
② 자아발달단계 이론 : 출생에서 노년까지의 자아발달 단계를 8개로 나누고, 노년기에는 자아통합(자아주체성)을 발달시키고, 절망감을 해소시켜야 한다는 이론이다.
③ 선택적 적정화 이론 : 주어진 환경 속에서 활동의 종류와 질을 선택한 다음 다양한 수단과 방법으로 그 목표를 달성함으로써 삶의 만족이라는 보상을 얻는 것이 성공적인 노화라고 주장하는 이론이다.
④ 성공적 노화 이론 : 노화를 보통의 노화와 성공적 노화로 분류하고, 높은 수준의 인지적·신체적 기능을 유지하며, 활기찬 인간관계 및 생산적 활동에 적극적으로 참여하는 것이 성공적 노화라고 주장하는 이론이다.

■ 심리적인 측면에서 노화과정은 퇴화와 성숙을 함께 가지고 있는 자기조절과정이다.

27 노화와 관련된 심리적 이론이 아닌 것은?

■ 활동이론은 사회학적 이론이다.

① 자아발달단계 이론　② 선택적 적정화 이론
③ 성공적 노화 이론　④ 활동 이론

28 노화에 따른 사회·심리적 변화를 설명한 것이다. 틀린 것은?

① 지위와 역할의 상실, 삶의 목적과 경제적 수입의 상실,
② 의존성의 증가, 대인관계와 사회참여도의 감소
③ 과거 지향적이고 감정의 기복이 심해짐,소외감과 고독감이 증가하고 이해력이 낮아짐.
④ 조심성과 소극적인 성향이 감소됨.

■ 나이를 먹으면 조심성과 소극적인 성향이 증가한다.

정답　25 : ④, 26 : ①, 27 : ④, 28 : ④

29 노화와 관련된 인지기능에서 나타나는 보편적 변화가 아닌 것은?

① 기억력 저하　　② 빠른 정보처리 속도
③ 인지능력의 저하　　④ 느려진 반응시간

■ 노화가 되면 정보처리의 속도가 느려진다.

30 보기에서 노인 운동의 심리적 효과에 해당하는 내용으로 묶인 것은?

보기
㉠ 스트레스 및 불안 감소　㉡ 사회적 통합　㉢ 긍정적인 기분전환
㉣ 우울증 감소　㉤ 신체기능 향상

① ㉠, ㉡, ㉢　② ㉠, ㉢, ㉣　③ ㉡, ㉢, ㉣　④ ㉢, ㉣, ㉤

■ 노인 운동의 심리적 효과는 삶의 질 향상, 기분 전환, 스트레스 및 불안 감소, 우울증 감소, 인지기능 향상, 치매 지연, 기억장애 발생 줄임, 집중력과 단기 기억력 향상 등이다.

필수문제

31 하비거스트(R. Havighurst)의 발달과업이론에서 노년기의 과업으로 적절하지 않은 것은?

① 배우자의 죽음에 대한 적응　② 선호하는 사회적 모임에 대한 적응
③ 근력 감소와 건강 약화에 대한 적응　④ 은퇴와 수입 감소에 대한 적응

■ 하비거스트(1972)는 생의 발달단계를 생의 주기에 따라 다음의 6단계로 구분하였다.
· 약화되는 신체의 힘과 건강 약화에 따른 적응
· 은퇴와 경제적 수입 감소에 따른 적응
· 동년배 집단과 유대관계 강화
· 생활에 적합한 물리적 생활환경 조성
· 사회적 역할을 융통성 있게 수행하고 적응하는 일
· 배우자의 죽음에 대한 적응

필수문제

32 에릭슨(E. Erikson)의 심리사회발달 단계에 관한 내용이 옳은 것은?

	연령	단계	긍정적 결과
①	13~18세	역량 대 열등감	어떻게 살기 원하는지에 대한 생각을 발달시킨다.
②	젊은 성인	독자성 대 역할혼동	타인과 밀접한 관계를 형성한다.
③	중년 성인	친분 대 고독	가족의 부양 또는 어떤 형태의 일을 통해 생산적인 생활을 할 수 있다.
④	노년기	자아주체성 대 절망	자부심과 만족을 느끼면서 삶을 되돌아볼 수 있다.

■ 에릭슨의 심리사회적 발달단계(8단계)

단계	내용	단계	내용
1단계	신뢰감 대 불신(0~1.5세)	2단계	자율성 대 수치와 의심(1.5~3세)
3단계	주도성 대 죄책감(3~5세)	4단계	근면성 대 열등감(5~12세)
5단계	정체성 대 역할 혼돈(12~20세)	6단계	친밀감 대 고립감(성인 초기, 20~24세)
7단계	생산성 대 정체(성인기, 24~65세)	8단계	자아통합 대 절망(노년기, 65세 이후)

■ 에릭슨의 심리사회적 발달단계(p. 4) 중 8단계 '자아통합 대 절망'에 해당됨.

정답 29 : ②, 30 : ②, 31 : ②, 32 : ④

심화문제

■ 0~2세 : 신뢰감 vs 불신감, 2~4세 : 자율성 vs 수치심, 4~6세 : 주도성 vs 죄책감, 6~12세 : 역량 vs 열등감, 12~20세 : 독자성 vs 혼란감, 22~34세 : 친밀성 vs 고립, 34~60세 : 생산성 vs 정체, 60세 이상 : 자아주체성 vs 절망감

33 에릭슨(E. Erickson)의 심리사회적 이론에서 기술한 각 연령대의 발달과업으로 옳은 것은?

① 0~1세 : 신뢰 - 불신
② 13~18세 : 역량 - 열등감
③ 중년 성인기 : 친분 - 고독
④ 노년기 : 죄책감 - 역할혼돈

34 보기에서 설명하는 에릭슨(E. Erikson)의 심리사회적 발달단계는?

보기
- 자부심과 만족을 느끼면서 자신의 삶을 되돌아볼 수 있으며, 죽음을 위엄 있게 받아들인다.
- 삶에서 달성해야 하는 것들을 달성하지 못했다고 느끼며 삶의 종말이 다가오는 것에 대해 좌절감을 느낀다.

① 생산적 대 정체
② 독자성 대 역할혼돈
③ 친분 대 고독
④ 자아주체성 대 절망

■ 에릭슨의 심리사회적 발달단계(p. 4) 참조

필수문제

35 노인의 운동참여에서 불안과 두려움을 극복하기 위한 반두라(A. Bandura)의 자기효능감 이론의 변인과 증진전략으로 옳지 않은 것은?

	변인	증진전략
①	성공수행경험	어떻게 살기 원하는지에 대한 생각을 발달시킨다.
②	간접경험	운동에 함께 참여하는 동료 노인을 통해 간접경험을 갖게 한다.
③	언어적 설득	운동과 관련된 의사결정을 스스로 내리도록 한다.
④	정서적 상태	불안과 두려움을 조절할 수 있도록 인지적 훈련을 시킨다.

■ **자기효능감**(Bandura, A.) : 자신이 어떤 일을 성공적으로 수행할 수 있는 능력이 있다고 믿는 기대와 신념으로, 자기존중감과는 구별된다.

자기효능감 형성 요인	자기효능감 증진 방안		
· 성공경험 · 대리경험 · 언어적 설득 · 정서적 상태	· 성공 경험 제공 · 정서적 대처기술 제공 · 구체적 학습전략 지도 · 교사의 높은 효능감 유지	· 모델 활용(대리 경험) · 귀인변화 훈련 · 정보적 보상 제공	· 언어적 설득 · 피드백 제공 · 협동학습 활용

※③ 언어적 설득은 학생이 과제 수행에 자신감을 갖도록 칭찬이나 격려를 통해 자기효능감을 증진시키는 것.

정답 33 : ①, 34 : ④, 35 : ③

심화문제

36 자아효능감 이론에 대한 설명으로 바르지 않은 것은?

① 신념과 행동사이의 관계를 설명하는 이론으로 태도, 주관적 규범 등이 행동에 영향을 미친다.
② 경험, 모델, 설득 등이 자아효능감을 발달시킨다.
③ 행동변화에 대한 기대, 결과에 대한 기대 등이 자아효능감에 영향을 미친다.
④ 개인의 행동변화를 위한 동기유발과 관련이 있다.

■ ①은 행동변화 이론에 대한 설명이다.

37 보기에서 괄호 안에 들어갈 용어는?

> 보기
> 노인이 일정 수준의 수행을 성취할 수 있는 자신의 역량에 대한 판단은 (㉠)을 뜻하며, (㉡)은 자신에 대해 가지고 있는 모든 의견, 감정, 믿음이다.

	㉠	㉡		㉠	㉡
①	자존감	자기개념	②	자기효능감	자존감
③	자기효능감	자기개념	④	자존감	자기효능감

■ **자기효능감** : 자신이 어떤 일을 성공적으로 수행할 수 있는 능력이 있다고 믿는 기대와 신념
■ **자기개념** : 자기 자신에 대해 느끼고 인지하고 있는 개념적인 자기 인지의 전부.
■ 사회학적 노화이론 (p. 4) 참조

필수문제

38 보기의 ㉠, ㉡에 들어갈 용어가 바르게 나열된 것은?

> 보기
> » 노인은 사회적 역할의 상실 등으로 인하여 자신감을 잃기 쉬우며, 점점 고립되어 고독감을 느끼게 되기 때문에, 다른 사람이나 사회로부터의 보살핌, 존중, 도움을 받는 (㉠)이/가 필요하다.
> » 노인은 일정 수준의 목표를 성취할 수 있다는 자신의 역량에 대한 믿음을 뜻하는 (㉡)을 가져야 한다.

	㉠	㉡		㉠	㉡
①	사회적 지지	자기효능감	②	사회적 설득	자기효능감
③	사회적 설득	자부심	④	사회적 지지	자부심

■ **사회적 지지(social support)** : 어떤 사람을 둘러싸고 있는 중요한 타인(가족, 친구, 동료, 전문가 등)에게서 얻는 여러 가지 형태의 원조.
■ **자기효능감** : 어떤 일을 잘 해낼 수 있다는 개인적인 신념인데, 노인 운동에서는 목표를 성취하기 위한 자신의 역량에 대한 믿음.

심화문제

39 반두라의 자기효능감 이론에 근거한 운동참여 유도방법으로 옳지 않은 것은?

① 관련 책자나 자료집을 제공하여 간접경험을 하게 한다.
② 일상생활에서 접근이 쉬운 것부터 시작하게 한다.
③ 과제의 성공적 수행을 통해 성취경험을 하게 한다.
④ 사회적 지지보다는 혼자 생각하는 시간을 갖게 한다.

■ 사회적 지지가 있어야 자기효능감이 상승한다.

정답 36 : ①, 37 : ③, 38 : ①, 39 : ④

■ **활동 이론** : 노인의 사회활동 참여도가 높을수록 심리적 만족감과 생활만족도가 높아진다.
■ **사회분리(유리) 이론** : 노인의 사회적 역할과 상호작용을 감소시켜서 노인들을 사회에서 분리시킨다.
■ **현대화 이론** : 사회구조 및 사회체제의 변화가 세대 간의 이질성을 심화시켰기 때문에 노인들의 신분이 하락하였다.
■ **하위문화 이론** : 한 범주에 속하는 구성원들끼리 더 많은 관계를 유지하면서 독특한 하위문화를 형성하듯이 노인들도 그들만의 하위문화를 형성시킨다(Rose의 주장).

필수문제

40 보기에서 설명하는 노화와 관련된 사회학적 이론은?

보기
» 노화와 관련된 사회학적 이론에서 가장 널리 인정되는 이론이다.
» 노인의 사회활동 참여 정도가 높을수록 생활만족도가 높아진다.
» 지속적인 활동이 성공적 노화의 핵심이다.

① 분리 이론　② 활동 이론
③ 현대화 이론　④ 하위문화 이론

심화문제

41 노화의 사회적 이론에 대한 설명으로 가장 바르지 않은 것은?

① 개인의 사회적 환경과 자연환경이 노화과정에 영향을 미친다.
② 부적합한 사회적 환경과 자연환경은 사망률과 질병 발병률을 증가시킨다.
③ 부적합한 사회적 환경과 자연환경은 전반적인 건강 및 웰빙의 감소와 관련이 있다.
④ 스트레스는 호르몬 분비 기능에 영향을 미쳐 호르몬 불균형과 부족을 가져와 대사적 불균형을 초래한다.

■ 대사적 불균형은 생물학적 노화이론이다.

42 노인의 신체활동을 통한 사회성 발달에 대한 설명으로 가장 바른 것은?

① 규칙적으로 신체활동에 참가하면 사회활동에서 은퇴하고자 하는 욕구가 커진다.
② 신체활동이 소규모 집단에서 이루어질 때만 사회적, 문화적 교류가 증진된다.
③ 신체활동은 노화와 노인의 부정적인 고정관념을 강화시킨다.
④ 집단 신체활동은 새로운 우정과 교류를 촉진시킨다.

■ 노인들은 보통 협동심이 없어 신체활동에 소극적인데, 집단으로 운동을 하며 주위사람들을 새로운 친구로 사귈 수도 있다.

43 보기에서 설명하는 노화와 관련된 사회학적 이론은?

보기
» 분리이론과 대립되는 이론이다.
» 지속적인 활동이 성공적인 노화의 핵심이다.
» 노인의 사회활동 참여정도가 높을수록 생활만족도가 높아진다.

① 활동 이론　② 은퇴 이론
③ 하위문화 이론　④ 구조기능주의 이론

정답　40 : ②, 41 : ④, 42 : ④, 43 : ①

44 노인에 대한 사회·문화적 인식으로 옳은 것은?

① 유전인자는 노화에 영향을 미치지 않는다.
② 고령화 사회가 되면 의료비 부담이 증가되고 부양비 부담은 감소한다.
③ 노인의 생활습관과 삶의 태도는 신체적·정신적 건강에 중요한 요인이다.
④ 모든 노인은 의존성이 높아 돌봄의 대상이다.

■ ① 유전인자는 노화에 영향을 미친다. ② 고령화사회가 되면 부양비 부담이 증가한다. ④ 모든 노인이 의존성이 높아지는 것은 아니다.

45 노화와 관련된 사회적 이론이 아닌 것은?

① 사용마모 이론 ② 활동 이론 ③ 분리 이론 ④ 지속성 이론

■ 사용마모 이론은 생물학적 노화이론이다.

46 보기에서 설명하는 노화와 관련된 사회학적 이론은?

보기
공통된 특성을 가진 노인들이 집단을 형성하고 빈번한 상호작용을 통해 그들 특유의 행동양식을 만든다.

① 분리이론(disengagement theory) ② 하위문화이론(subculture theory)
③ 활동이론(activity theory) ④ 현대화이론(modernization theory)

■ 사회학적 노화이론 (p. 4) 참조

필수문제

47 Rowe와 Kahn이 제시한 성공적인 노화모델의 개념과 거리가 먼 것은?

① 질병과 장애가 발생할 가능성이 낮은 상태
② 의료와 보건복지가 잘 되어 있는 사회
③ 사회적으로 건강한 삶 즉, 생산적이며 만족한 삶
④ 높은 신체적·정신적 건강상태의 유지

■ ②는 성공적인 노화의 개념과는 거리가 멀고 복지사회건설을 위한 요소이다(p. 4 참조).

심화문제

48 Rowe와 Kahn이 주장한 성공적 노화에 필요한 요소가 잘 짝지어진 것은?

① 질병·장애예방 - 삶의 적극적 참여 - 높은 신체적·인지적 기능
② 치매예방 - 삶의 질 향상 - 높은 신체적·인지적 기능
③ 만성질환예방 - 취미 활동 - 높은 신체적·인지적 기능
④ 사고예방 - 자기효능감 고취 - 높은 신체저·인지적 기능

■ **Rowe와 Kahn의 성공적 노화**
질병 및 질병에 관련된 장애의 발생가능성 낮음–높은 인지적 · 신체적 기능–적극적인 삶에 대한 관여

정답 44 : ③, 45 : ①, 46 : ②, 47 : ②, 48 : ①

49 노인이 운동참여로 얻을 수 있는 사회적 효과로 옳지 않은 것은?

① 새로운 우정과 교류를 촉진시킨다.
② 역할 유지와 새로운 역할을 맡는데 도움이 된다.
③ 새로운 운동기술을 습득한다.
④ 세대 간의 교류 기회를 확대시킨다.

■ 새로운 운동기술의 습득은 노인운동의 사회적 효과가 아니다.

50 노인의 운동참여에 대한 사회적 효과는?

① 골밀도 유지
② 원만한 인간관계 유지
③ 감각과 지각기능 증가
④ 운동 기술 습득

필수문제

51 노화로 인한 생리적 변화가 아닌 것은?

① 최대산소섭취량의 감소
② 폐의 탄력성과 호흡기 근력의 저하
③ 수축기 및 이완기 혈압수치의 감소
④ 동정맥산소차의 감소

■ 노화가 되면 최대산소섭취량 감소, 허파 탄력성 저하와 호흡계통 근력 저하, 동정맥산소차 감소 등의 변화가 나타난다. 그런데 노화가 되면 경우에 따라 혈압이 상승하지만 감소하지는 않는다.

필수문제

52 보기에서 노화로 인한 평형성과 기동성(balance and mobility) 변화에 영향을 미치는 요인을 모두 고른 것은?

보기
㉠ 체성감각계　㉡ 시각계　㉢ 전정계　㉣ 운동계

① ㉠, ㉡, ㉢, ㉣
② ㉡, ㉢, ㉣
③ ㉢, ㉣
④ ㉣

■ 평형성과 기동성에 영향을 미치는 기관은 ㉠ 체성감각계(몸의 위치, 통각, 촉각, 온도 등), ㉡ 시각계, ㉢ 전정계(평형감각), ㉣ 운동계 등이다.

필수문제

53 노화에 따른 신체적 변화를 설명한 것이다. 틀린 것은?

① 신체조성의 변화 : 신체의 조성 중 지방의 비율이 증가하고 수분과 고형성분의 비율도 증가한다.
② 신체기능의 변화 : 모든 신체기능이 저하되고, 항상성을 회복하는 데에 시간이 걸린다. 환경변화에 적응하지 못하거나 느리게 대처한다. 정신기능의 노화가 가장 적고 느리다.
③ 외관상의 변화 : 머리와 피부색의 변화, 주름살과 얼룩반점 형성, 신장이 줄고 자세의 변화, 피부의 탄력 감소
④ 만성질환과 퇴행성 질환의 유병률 증가 : 생리적 기능의 감퇴가 원인

■ 노화에 따라 체지방 비율은 증가하지만, 수분과 고형성분의 비율은 감소한다.

정답　49 : ③, 50 : ②, 51 : ③, 52 : ①, 53 : ①

심화문제

54 노화와 관련된 신체적 변화로 옳지 않은 것은?

① 근 질량 감소 ② 관절 유연성 감소
③ 폐 탄력성과 흉곽 경직성 증가 ④ 수축기혈압과 이완기혈압 증가

■ 노화가 되면 폐의 탄력성 감소, 흉곽(가슴우리)의 경직성 증가, 호흡기 근력의 감소, 호흡기 중추신경 활동의 민감성 감소 등이 일어난다(p.5참조).

55 노인 체성분의 특성은?

① 제지방체중이 증가한다. ② 근육량이 증가한다.
③ 체지방 특히 내장지방이 증가한다. ④ 수분이 증가한다.

■ 노인이 되면 체지방량의 비율이 증가한다.

56 노년기에 나타나는 신체 외관의 변화 중 틀린 것은?

① 주름의 증가 ② 신장의 감소
③ 구부정한 자세 ④ 피부탄력의 증가

■ 노인이 되면 피부탄력이 감소한다.

57 노인의 체중 변화의 원인으로 적절치 못한 것은?

① 피하지방의 감소 ② 근육량의 감소
③ 복부지방의 감소 ④ 체지방비율의 증가

■ 노인이 되면 복부의 내장지방이 증가한다. 피하지방이 감소하기 때문에 주름이 생긴다.

58 노년기의 신체적 특성이 아닌 것은?

① 대사기능의 저하 ② 골밀도의 감소
③ 체지방비율의 감소 ④ 연골조직의 약화

■ 노화에 따른 신체적 변화(p. 5) 참조.

59 노인 신체의 형태적 변화와 그 원인으로 적절치 못한 것은?

① 넙다리(대퇴)의 길이가 줄면서 신장이 준다.
② 골반의 지름이 작아진다.
③ 어깨세모근(삼각근)의 무게가 감소하면서 어깨너비가 좁아진다.
④ 골밀도가 감소하면서 신장이 준다.

■ 노인이 되면 골반의 지름이 증가한다.

60 노년기의 변화가 아닌 것은?

① 치아 결손 ② 소화 효소량 감소
③ 연동운동 저하 ④ 기초내사량 증가

■ 노년기가 되면 기초대사량이 감소한다.

정답 54 : ③, 55 : ③, 56 : ④, 57 : ③, 58 : ③, 59 : ②, 60 : ④

필수문제

61 보기의 ㉠, ㉡, ㉢, ㉣에 들어갈 용어로 알맞은 것은?

보기
노인은 연령이 높아질수록 근육량은 (㉠)하고, 최대심박수는 (㉡)하고, 혈관 경직도는 (㉢)하고, 최대산소섭취량은 (㉣)한다.

	㉠	㉡	㉢	㉣
①	증가	증가	감소	증가
②	감소	증가	감소	증가
③	감소	감소	증가	감소
④	증가	증가	감소	감소

■ **노화에 따른 변화**
연령이 증가할수록
· 근육량과 기능→감소
· 최대심박수→감소
· 혈관경직도→증가
· 최대산소섭취량→감소

심화문제

62 노화로 인한 일반적인 생리적 변화에 대한 설명 중 옳지 않은 것은?

① 체지방의 비율이 증가한다.
② 근육량과 근력이 감소한다.
③ 최대산소섭취량이 감소한다.
④ 최대심박수가 증가한다.

■ 노화가 되면 모든 생리기능이 저하된다. 따라서 최대심박수는 감소한다.

63 노화로 인한 신체적 변화가 아닌 것은?

① 근세포의 기능저하로 근육이 위축된다.
② 뼈와 관절 등의 변형으로 키가 줄어든다.
③ 골밀도는 지속적으로 감소한다.
④ 제지방량(lean body mass)은 지속적으로 증가한다.

■ 노인이 되면 제지방량은 감소한다. 제지방량은 근육량과 유사한 말이다.

64 노년기의 신체적 특성이 아닌 것은?

① 골밀도 감소
② 골반의 지름이 증가
③ 어깨너비의 감소
④ 체지방비율의 감소

■ 노년기에는 체지방, 특히 복부지방이 증가한다.

정답 61 : ③, 62 : ④, 63 : ④, 64 : ④

65 노화로 인한 근골격계 변화로 적절하지 않은 것은?

① 근육량의 변화로 근력과 근파워는 증가한다.
② 골대사의 변화로 뼈의 밀도와 질량이 감소한다.
③ 관절 움직임의 제한으로 낙상 위험이 증가한다.
④ 관절가동범위의 감소는 평형성과 안정성 상실을 초래한다.

■노화로 인한 신체적 변화
· 근력과 근파워 감소
· 신체구조 및 기능 변화
· 신체 외모의 변하
· 만성질환 유병률 증가

66 노인의 균형감에 관한 설명으로 옳은 것은?

① 의식적인 노력은 균형감 향상과 무관하다.
② 시력 약화는 균형감을 향상시킨다.
③ 전정계 기능의 저하는 균형감을 향상시킨다.
④ 체성감각 기능의 저하는 균형감을 떨어뜨린다.

■노화가 되면 체성감각 기능이 저하되어 넘어짐의 위험과 자세 불안정을 증가시킨다.

67 노인에게 낙상의 위험성이 높은 원인으로 적절한 것은?

① 보행 속도의 증가
② 보폭의 증가
③ 자세 동요의 감소
④ 발목 가동성의 감소

■발목 가동성이 감소되면 낙상위험성을 증가시킨다.

필수문제

68 보기의 대화에서 노인에게 나타날 수 있는 증상이 아닌 것은?

A : 코로나19로 경로당 운영이 중단돼서 운동도 못하고, 친구들도 못 만나니 너무 두렵고 슬퍼. 예전에 친구들과 함께 운동하던 때가 그립구만…….
B : 나도 그래. 최근 옆집에 혼자 사는 최 씨가 안보여 찾아가보니 술로 잠을 자려고 하던데 정말 걱정이야. 밖으로 나가 운동도 하고 친구도 만나야 하는데……. 저러다 치매에 걸릴까 겁이 나네.

① 수면 장애　② 불안감 고조　③ 고립감 약화　④ 사고력 약화

■고립감이란 타인과 사귀지 않거나 도움을 받지 못하여 홀로된 느낌인데, 보기의 경우에는 고립감이 강해진다.

정답 65 : ①, 66 : ④, 67 : ④, 68 : ③

심화문제

69 보기에서 노인의 심리적 특성을 모두 고른 것은?

보기	
㉠ 불안감과 초조감	㉡ 자기중심적 사고
㉢ 과거에 대한 집착	㉣ 학습능력 저하

① ㉠ ② ㉠㉡ ③ ㉠㉡㉢ ④ ㉠㉡㉢㉣

■학습능력은 심리적 특성이 아니라 인지적 특성이다.

70 보기의 심리적 특성의 변화 중에서 노화에 따른 변화를 모두 고르시오.

보기	
㉠ 과거에 집착	㉡ 조심성 증가
㉢ 자기중심적 사고	㉣ 감정의 기복이 심해짐

① ㉠ ② ㉠㉡ ③ ㉠㉡㉢ ④ ㉠㉡㉢㉣

■노화에 따른 심리적 변화(p. 6) 참조

71 우리나라 인구 변화에 관한 설명으로 적절하지 않은 것은?

① 현재 노인 인구의 비율이 14% 이상인 고령사회이다.
② 저출산으로 고령화가 감소하고 있다.
③ 노인인구 증가로 인해 국가의 의료비 부담이 증가하고 있다.
④ 노인인구 증가로 인해 생산가능 인구의 노인에 대한 부양비가 증가하고 있다.

■우리나라는 저출산으로 고령화가 증가하고 있다.

72 노인인구 증가와 관련된 설명으로 옳은 것은?

① 65세 이상의 노인인구 비율이 14% 이상이면 고령화사회이다.
② 노인 부양비와 의료비 증가로 사회적 문제가 발생한다.
③ 노인의 경제력 약화로 실버산업의 침체가 가속화된다.
④ 우리나라 고령화 속도는 선진국에 비해 상대적으로 느리다.

■① 65세 이상의 노인인구 비율이 14% 이상이면 고령사회이다.
■③ 노인이 많으면 실버산업이 성장한다.
■④ 우리나라는 전 세계에서 가장 고령화속도가 빠른 나라이다.

정답 69 : ③, 70 : ④, 71 : ②, 72 : ②

02 Chapter 노인 운동의 효과

노인 운동의 개념

1 신체운동에 대한 노인들의 인식

이 단원에서 사용하는 운동은 '체력을 향상시키거나 건강을 유지 또는 향상시키려고 수행하는 계획적이고 구조화된 신체활동'을 의미한다. 그리고 노인 운동은 '노인이 자신의 체력을 유지 또는 향상시키기 위해서 하는 운동'을 말한다.

운동의 필요성을 느끼는 사람의 비율이 나이가 많아질수록 점점 줄어드는 경향을 보이고, 건강이나 체력을 유지하거나 증진시키기 위한 방안으로는 운동보다는 영양 또는 휴양이 좋다고 생각하는 사람이 더 많다.

2 노인 운동의 트레이닝역치

노인들이 운동을 통해서 건강이나 체력을 유지하거나 증진시키는 효과를 볼 수 있는 운동강도와 운동시간을 노인 운동의 트레이닝역치라 하고, 120박/분의 운동강도로 약 30분 동안 운동하는 것이다.

3 노인 운동의 역할

- Hammond & Gafinkel(1964)은 운동을 하면 수명이 연장된다고 보고하였다.
- 나이가 들면 최대산소섭취량이 점점 줄어들어서 같은 운동을 해도 점점 더 힘들어진다.
- 그러므로 힘이 들더라도 적극적으로 트레이닝을 해서 신체기능의 저하를 예방하려고 노력해야 한다.
- 노인들에게는 트레이닝 강도를 높이는 것이 트레이닝 빈도를 높이는 것보다 더 효과적이다.
- 근육에 쌓인 젖산을 없애기 위해서 혈액 안으로 젖산을 방출하기 시작하는 시점의 운동강도를 젖산역치라 하고, 운동을 오래 동안 지속해온 사람의 젖산역치가 높다.
- 그것은 높은 강도의 운동을 오래 동안 지속할 수 있는 능력이 생겼다는 의미도 되고, 근육의 대사능력이 좋아졌다는 의미도 된다.
- 운동을 하면 노인도 최대산소섭취량을 유지하거나 오히려 향상시킬 수 있지만, 나이가 들수록 최고심박수가 줄기 때문에 최대산소섭취량도 줄 수밖에 없다.
- 그러나 일상생활에서 신체의 활동량을 최대한으로 늘이면 최대산소섭취량의 감소를 어느 정도는 막을 수 있다.

노인 운동의 효과

1 노인 운동의 신체적(생리적) 효과

근골격계통	근력의 향상, 뼈의 질량 증가, 근육의 발달, 체지방의 감소, 피부탄력 향상, 골격 및 관절 강화
심혈관계통과 호흡계통	심장 및 혈관의 기능 향상, 유산소 능력의 유지, 최대산소섭취량의 증가, 심박수의 감소, 1회 박출량의 증가, 혈액의 산소운반능력의 증가, 분당환기량의 증가, 안정시 호흡수의 감소, 폐활량의 증가
내분비계통	인슐린 감수성의 증가, 대사증후군 유병률 감소, 당뇨병 예방 및 개선, 상처 치유속도 향상, 저밀도지질콜레스테롤(LDL-C)의 감소, 고밀도지질콜레스테롤(HDL-C)의 증가
신경계통	반응시간의 단축, 신경전달 기능의 향상, 신체의 제어능력 및 협응력의 향상, 청력과 시력 향상, 수면상태 호전, 기억력 향상, 치매 발생의 감소, 우울증의 호전
활력	원기 왕성, 각종 장기의 기능 향상, 면역기능 향상, 성기능 향상,

2 체력요인별 노인 운동의 종류 및 효과

체력요인	정의	운동 종류	효과
심폐지구력	심장의 순환기능과 폐의 호흡기능을 오래 유지할 수 있는 힘으로, 오래 동안 지속적으로 전신운동을 수행할 수 있는 능력.	걷기, 에어로빅, 자전거타기, 수영, 수중운동 등	심혈관계질환 발생 위험 감소 등
근지구력	오래 동안 일정한 근력을 지속적으로 발휘할 수 있는 힘으로, 같은 근육의 운동을 반복해서 수행할 수 있는 능력.	턱걸이, 노젓기 등	근육 및 뼈의 강화로 일생생활 수행 능력 향상 등
근력	근육의 힘으로 근육의 길이가 변하지 않고 발휘하는 최대 장력으로 나타낸다.	역도, 덤벨들고 앉았다 일어서기 등	
순발력	근육이 순간적으로 빨리 수축하면서 내는 힘으로, 여러 종류의 스포츠에서 기초가 되는 능력. '힘×스피드'로 나타냄.	줄넘기, 플라이오메트릭스, 계단오르기 등	모든 스포츠에서 기초가 됨. 전신 밸런스 향상
민첩성	자극에 대한 재빠른 반응, 신체를 재빨리 조작하는 능력으로, 신경과 근육의 관계, 근육속도 등 생리학적 요소가 기초가 됨.	왕복달리기, 사이드스텝, 버피테스트 등	재빠른 방향전환, 자극에 대한 재빠른 반응 등
평형성	몸을 한쪽으로 기울지 않고 일정한 상태를 유지하는 능력.	앞 · 뒤 · 옆으로 걷기, 발꿈치로 걷기 등	신체의 안정성 유지기능 향상 등
협응성	신경기관 · 운동기관 · 근육 등이 서로 호응하면서 신체를 신속하고 능률적으로 조정 · 통제하는 능력.	짐볼운동, 메디신볼운동, 스트레칭 등	전신을 신속하고 능률적으로 통제하는 능력 향상 등
유연성	하나 혹은 여러 관절의 가동범위를 최대로 하는 능력.	의자에 앉아 윗몸 앞 · 뒤로 굽히기, 스트레칭 등	신체활동 시 기능적 제한을 예방함으로써 부상 방지 등

3 노인 운동의 심리적 효과

- ☞ 삶의 질 향상
- ☞ 우울증의 감소
- ☞ 치매를 지연시키는 효과
- ☞ 집중력과 단기 기억력의 향상
- ☞ 스트레스 및 불안 감소
- ☞ 인지기능의 향상
- ☞ 기억장애의 발생을 줄임

4 노인 운동의 사회적 효과

☞ 지속적인 사회활동
☞ 새로운 친구 사귀기
☞ 사회 네트워크의 확장
☞ 역할의 유지 및 새로운 역할의 학습
☞ 세대 간의 소통 강화

노인 체력검사

1 한국형 노인체력검사 시 측정방법

·w=체중=0.1 킬로그램까지 측정, h=신장=0.1 센티미터까지 측정, 신체질량지수(BMI)= w/h^2 로 계산

악력(상지근력)	Smedley식 악력계 사용. 악력계를 수직으로 내린 상태에서 좌우 손의 악력을 2번씩 측정하여 좋은 점수를 사용한다. 상대악력(%)=악력÷체중으로 계산한다.
의자에 앉았다가 일어서기(하지근력)	등받이가 없는 둥근 의자에 허리를 곧게 펴고 앉는다. 양 손을 교차하여 가슴 앞에 댄다. 시작 소리와 함께 일어섰다 앉기를 반복한다. 30초 동안에 완전히 일어선 횟수를 기록한다.
표적 돌아와서 다시 앉기(민첩성, 순발력)	위와 같이 앉는다. 시작 소리와 함께 일어나 걸어가서 표적을 돈 다음 원래의 위치로 돌아와 앉는다. 걸린 시간을 0.1초까지 기록한다.
윗몸 앞으로 굽히기(유연성)	양 발바닥을 측정도구의 바닥면에 수직으로 대고 무릎을 곧게 펴고 앉는다. 시작하면 양 손 끝으로 밀어낼 수 있는 데까지 밀어낸다. 0.1센티미터까지 측정한다.
6분 걷기(지구력)	폭 5미터 · 길이 20미터인 트랙을 만든다. 트랙에는 1미터 간격으로 거리 표시를 해둔다. 시작 소리와 함께 출발하여 트랙을 돈다. 가능한 한 빠른 속도로 걷도록 독려한다. 뛰면 안 된다. 중간에 쉬는 것은 괜찮지만 시간은 계속 돌아간다. 중간중간에 남은 시간을 알려준다. 6분이 되면 거리를 계산해서 알려준다.
2분 제자리 걷기(지구력)	슬개골(무릎뼈) 중앙에서 장골능(엉덩뼈능선) 중앙까지 중간이 되는 높이의 대퇴(넙다리)에 파랑색 테이프를 부착한다. 양 기둥에 묶여 있는 고무줄의 높이를 파랑 테이프와 일치하도록 조절한다. 시작 소리와 함께 제자리에서 걷되 무릎이 고무줄 높이까지 올라온 회수를 측정한다.
8자 보행(민첩성, 순발력)	길이 3.6미터 · 폭 1.6미터인 사각형 운동장을 준비한다. 사각형의 긴 쪽 두 모서리에 고깔을 세워둔다. 반대편 중앙에 의자를 놓고 피험자가 앉는다. 시작 소리와 함께 의자에서 일어나 한 쪽 고깔을 돌아와서 다시 의자에 앉는다. 곧바로 일어서서 반대쪽 고깔을 돌아와서 다시 의자에 앉는다. 그때까지의 시간을 측정한다.

2 노인 체력검사의 인준

금상	5가지 체력검사 항목(7종목)이 모두 금상 이상이신 어르신
은상	5가지 체력검사 항목(7종목)이 모두 은상 이상이신 어르신
동상	5가지 체력검사 항목(7종목)이 모두 동상 이상이신 어르신

필수 및 심화 문제

필수문제

01 노인체육 관련 용어의 의미가 옳지 않은 것은?

① 신체활동(physical activity) : 골격근에 의해 에너지 소비가 이루어지는 신체의 움직임

② 운동(exercise) : 관찰 가능한 외형적인 움직임

③ 체력(physical fitness) : 신체활동을 수행할 수 있는 기능적 특성

④ 건강(health) : 질병이 없거나 허약하지 않을 뿐만 아니라 신체적, 심리적, 사회적으로 안녕한 상태

■ 운동이란 체력요소의 하나 또는 그 이상을 향상시키거나 건강의 유지 내지 향상과 같은 구체적인 목표하에 수행되는 계획적 · 구조적 · 반복적인 신체의 활동이다. 따라서 관찰 가능한 외형적 움직임은 운동이 아니다.

심화문제

02 운동에 관한 설명으로 옳지 않은 것은?

① 운동은 신체활동을 수행할 수 있는 능력이다.

② 운동은 체력의 향상과 유지를 위한 계획적인 신체활동이다.

③ 운동프로그램에는 심폐지구력, 근력, 유연성 운동 등이 포함된다.

④ 운동은 에너지를 소모하는 골격근에 의해 이루어지며 건강과 삶의 질에 영향을 준다.

■ 신체활동을 수행할 수 있는 능력이 운동은 아니다.

■ 운동프로그램에는 심폐지구력 · 근력 · 유연성 운동 등이 포함된다.

■ 운동은 주로 골격근의 움직임에 의해 수행되며, 건강과 삶의 질에 영향을 준다.

필수문제

03 보기에서 제시하는 트레이닝 원리는?

> 보기
> 노인의 하체 근육을 강화시키기 위해서 걷기와 계단 오르기를 실시한다.

① 과부하(overload)의 원리

② 가역성(reversibility)의 원리

③ 특수성(specificity)의 원리

④ 개별성(individuality)의 원리

■ **특수성의 원리** : 트레이닝의 형태에 따라 트레이닝의 효과가 달라지고, 트레이닝 효과가 나타나는 신체부위는 운동에 따라 다르다.

정답 01 : ②, 02 : ①, 03 : ③

심화문제

04 보기에 적용되는 트레이닝 원리는?

> 보기
> 올해 70세인 박 할머니는 지난 6개월 동안 집 근처 헬스장에서 하루 1시간씩, 주 5회 이상 노인스포츠지도사와 운동을 하여 체력이 향상되었으나 최근 코로나 19(OVID-19) 때문에 운동을 3개월 동안 하지 못하여 지금은 계단을 오르기조차 힘들어졌다.

① 개별성의 원리
② 과부하의 원리
③ 특이성의 원리
④ 가역성의 원리

■ 가역성의 원리 :트레이닝을 중지하면 신체는 원래 수준으로 돌아가고, 근력이나 근육량은 그 사람이 사용하던 일상적인 수준으로 후퇴하게 되는 것

05 노년기의 운동이 성공적인 노화를 위해서 긍정적인 역할을 하는 것으로 보기 어려운 것은?

① 심리적 행복감과 안정
② 인지적 능력의 향상
③ 만성병이나 퇴행성질환 예방
④ 부상에서 회복할 수 있는 능력의 향상

■ 노인은 상해를 당하면 회복하기 어렵고, 운동을 한다고 해서 부상에서 회복할 수 있는 능력이 좋아지는 것이 아니다.

필수문제

06 보기에서 운동이 노인에게 미치는 생리적 효과로 옳은 것만을 모두 고른 것은?

> 보기
> ㉠ 인슐린 내성 증가
> ㉡ 체지방 감소
> ㉢ 인슐린 감수성 증가
> ㉣ 안정시 심박수 감소
> ㉤ 주어진 절대 강도에서 심박수 증가
> ㉥ 고밀도지단백콜레스테롤(HDL-C) 감소

① ㉠, ㉡, ㉥
② ㉡, ㉢, ㉣
③ ㉡, ㉢, ㉥
④ ㉣, ㉤, ㉥

■ 운동이 노인에게 미치는 생리적 효과
㉡ 체지방-감소
㉢ 인슐린 감수성-증가
㉣ 안정시 심박수-감소

㉠ 인슐린 내성(저항성)-감소
㉤ 주어진 절대 강도에서 심박수-감소
㉥ 고밀도지(질)단백질콜레스테롤(HDL-C)-증가

정답 04 : ④, 05 : ④, 06 : ②

■노인이 운동을 한다고 해도 운동관련체력이 향상되는 것을 기대하기는 어렵다.
■운동을 오랫동안 하면 안정 시 심박수가 감소하고, 최대심박수는 증가한다.

심화문제

07 노인의 운동효과라고 하기 어려운 것은?

① 인체의 조직과 기능을 강화하여 노화를 지연시킨다.
② 질병에 대한 내성을 향상시킨다.
③ 웰빙을 통한 삶의 질 향상에 도움이 된다.
④ 운동관련체력을 증진시킬 수 있다.

■노년기 운동 시의 말초혈관 변화
· 운동하는 근육의 혈류 증가
· 동정맥산소차 증가
· 근육의 산화능력 증가
· 근육 미토콘드리아 숫자와 밀도 증가
■노년기의 운동은 말초혈관의 저항력을 감소시킨다.

필수문제

08 노인이 운동참여로 얻을 수 있는 신체적 이점으로 적절하지 않은 것은?

① 안정 시 호흡빈도 감소와 폐활량 증가
② 혈관 확장과 말초혈관의 저항성 증가
③ 반응시간의 단축과 협응력 향상
④ 근육량과 뼈의 강도 증가

■노년기의 유산소운동은 동맥경직도를 감소시킨다.

심화문제

09 노인에 대한 유산소성 운동의 이점으로 틀린 것은?

① 동맥 경직도 증가
② 골격근의 모세혈관 밀도 증가
③ 인슐린 민감도 증가
④ 고밀도지단백콜레스테롤(HDL-C) 증가

■④ **평형성 운동** : 뒤로 걷기, 옆으로 걷기, 발꿈치로 걷기, 발끝으로 걷기, 앉았다 일어서기 등
■④는 협응성 운동임. 신체 각 부위가 조화를 이루면서 원활하게 움직일 수 있는 능력 (p.26 참조)

필수문제

10 체력요인에 따른 노인의 운동 방법과 효과가 바르게 연결되지 않은 것은?

체력요인	운동 방법	효과
① 심폐지구력	고정식 자전거 타기	심혈관계 질환의 위험률 감소
② 근력	덤벨 들고 앉았다 일어서기	근육 및 뼈 강화로 인한 일상생활수행능력 향상
③ 유연성	앉아서 윗몸 앞으로 굽히기	신체활동 시 기능적 제한 예방
④ 평형성	의자 잡고 옆으로 한발 들기	신체 각 부위가 조화를 이루면서 원활히 움직일 수 있는 능력 향상

정답 07 : ④, 08 : ②, 09 : ①, 10 : ④

심화문제

11 보기에서 체력요소별 정의로 바르게 묶인 것은?

> 보기
> ㉠ 순발력 – 짧은 시간 동안 신체의 방향을 빠르게 전환하는 능력
> ㉡ 민첩성 – 최대한 빠르고 멀리 신체를 이동시키는 능력
> ㉢ 근지구력 – 동일한 근수축 운동을 반복적으로 수행할 수 있는 능력
> ㉣ 심폐지구력 – 긴 시간 동안 지속적으로 전신활동을 수행할 수 있는 능력

① ㉠, ㉡ ② ㉠, ㉢ ③ ㉡, ㉣ ④ ㉢, ㉣

■ **순발력** : 순간적으로 근육을 수축시켜 동작을 만들어내는 힘.
■ **민첩성** : 신체를 재빨리 조작하는 능력.

12 운동관련체력이 아닌 것은?

① 민첩성 ② 평형성 ③ 협응성 ④ 유연성

■ **운동관련체력**에는 민첩성, 평형성, 협응성 외에 순발력이 포함된다.
■ **건강관련체력** : 유연성, 근력, 심폐지구력

13 노인의 체력요소와 이를 향상시키는 운동방법이 바르게 연결된 것은?

① 심폐지구력 - 고정식 자전거 타기
② 유연성 - 덤벨 들고 앉았다 일어서기
③ 협응성 - 의자 잡고 옆으로 한발 들기
④ 평형성 - 의자에 앉아서 등 굽혔다 펴기

■ **심폐지구력** : 걷기, 에어로빅, 사이클, 트레드밀, 수영, 수중운동 등
■ **유연성** : 의자에 앉아서 윗몸 앞·뒤로 굽히기 등
■ **협응성** : 덤벨 들고 앉았다 일어서기 등
■ **평형성** : 눈 감고 외발 서기 등

14 보기의 ㉠, ㉡에 들어갈 용어는?

> 보기
> » 관절가동범위를 증가시키는 운동을 통해서 (㉠)을 유지하거나 회복시킬 수 있다.
> » 운동을 통해서 낙상의 주요 원인인 (㉡) 감소를 방지하거나 지연시킬 수 있다.

	㉠	㉡		㉠	㉡
①	유연성	지구성	②	지구성	기동성
③	유연성	평형성	④	기동성	지구성

■ 유연성은 관절가동범위 증가운동으로 회복된다.
■ 노인이 낙상하는 주요 원인은 평형성 감소 때문이다.

필수문제

15 운동경험이 없는 노인이 장기간 저항성 운동을 했을 때 예상되는 변화는?

① 골밀도와 낙상 위험의 감소 ② 20대의 근비대 수준으로 근력 회복
③ 근력과 제지방량의 증가 ④ 혈관 경직도 증가

■ 운동경험이 없는 노인이 장기간 저항운동을 하면 근력향상과 제지방량 증가 효과가 있다.

정답 11 : ④, 12 : ④, 13 : ①, 14 : ③, 15 : ③

■ ② 운동은 베타엔도르핀과 세로토닌 분비를 증가시킨다.
■ ③ 운동은 뇌의 인지기능 향상에 도움이 된다.
■ ④ 저항운동은 근육량을 증가시키고, 인슐린 감수성도 증가시킨다.

필수문제

16 노인 운동프로그램의 장기적 효과에 대한 설명으로 옳은 것은?

① 운동은 노화로 인해 중추신경계의 반응속도가 느려지는 것을 지연시키는 데 도움이 된다.
② 운동은 베타엔도르핀과 세로토닌의 분비를 증가시키지 않는다.
③ 운동은 뇌의 인지기능 향상과는 무관하다.
④ 저항운동은 근육량을 증가시키고 인슐린 감수성을 낮추며 당뇨병 관리에 도움이 된다.

심화문제

■ 운동을 하면 안정시 심박수는 감소하고, 최대심박수는 증가한다.

17 노년기에 규칙적으로 운동을 한 결과가 아닌 것은?

① 안정 시 심박수 증가
② 근력과 근육의 탄력 증가
③ 1회심박출량의 증가
④ 분당산소섭취량의 증가

18 다음 중 노인스포츠 지도의 의의를 가장 잘 설명한 것은?

① 노년기의 생활을 건강하고 행복하게 만든다.
② 생리적 기능 쇠퇴를 완화시켜주고, 각종 질병의 예방과 치료에 도움을 주며, 생활의 활력소를 제공한다.
③ 건강한 삶을 누릴 수 있게 해준다.
④ 자기효능감을 향상시켜서 삶의 질을 높여준다.

■ **건강신념모형** : 신념이 건강을 추구하는 행동에 중요한 역할을 한다는 이론. 구성요소는 지각된 심각성, 자각된 이익, 지각된 장애, 행동 계기, 자기효능감의 6가지이다.
■ **학습이론** : 어떤 행동의 지속 또는 중단을 설명해주는 이론.
■ **범이론적 모형** : 행위의 변화과정 및 변화단계를 중심으로 개인이나 집단이 문제 행동의 수정과 긍정적인 행동을 선택하는 방법에 관한 이론.
■ **계획행동이론** : 태도와 행동의 관계를 밝히는 이론.

필수문제

19 보기의 내용을 설명할 수 있는 노인의 건강행동 이론 또는 모형은?

보기
» 신체활동의 효과를 인식하고 이를 행동으로 옮길 수 있는 자기효능감은 행동 변화를 쉽게 유발할 수 있다.
» 지각된 개연성, 지각된 심각성, 지각된 이익, 지각된 장애, 행동의 계기, 자기효능감의 6가지 요소로 구성된다.

① 건강신념모형(health belief model)
② 학습이론(learning theory)
③ 범이론적모형(transtheoretical model)
④ 계획행동이론(planned behavior theory)

정답 16 : ①, 17 : ①, 18 : ②, 19 : ①

심화문제

20 노년기 운동의 효과에 대한 설명으로 가장 바른 것은?

① 무산소성 운동은 심폐지구력과 관절의 유연성을 향상시킨다.
② 노년기의 저항운동은 근력을 유지하는 데 도움이 된다.
③ 운동이 노인에게 미치는 인지적 효과는 거의 미미하다.
④ 유산소성 운동은 노인 근비대에 적합하다.

■ 노년기의 저항운동(근력운동)은 근육을 생성 · 유지하고, 근손실을 막는 데 도움이 된다.

21 노인 운동참여에 의한 신체 및 생리적 효과가 아닌 것은?

① 면역기능의 변화
② 사회성 향상
③ 골격근의 변화
④ 골밀도 감소율 저하

■ 사회성 향상은 사회적 효과이다.

22 노인의 준비운동 효과로 옳지 않은 것은?

① 심장 혈류량 증가
② 협응력 향상
③ 관절 가동범위 증가
④ 신체 반응시간 증가

■ 준비운동을 하면 반응시간이 단축된다.

23 노인의 심폐지구력 향상을 위한 운동강도를 설정하는 기준으로 옳지 않은 것은?

① 최대산소섭취량(VO_2max)
② 최대근력(1RM)
③ 운동자각도(RPE)
④ 최대심박수(HRmax)

■ 최대근력은 저항성 운동에서 운동강도를 설정할 때 적합하다.

필수문제

24 보기에서 운동이 노인에게 미치는 심리적 효과로 옳은 것만을 모두 고른 것은?

보기
㉠ 운동 기술 습득
㉡ 우울증 감소
㉢ 심리적 웰빙 향상
㉣ 사회적 연결망 확장

① ㉠, ㉡ ② ㉠, ㉢ ③ ㉡, ㉢ ④ ㉢, ㉣

■ 노인 운동의 심리적 효과
· 삶의 질 및 심리적 웰빙 향상(㉢)
· 우울증 감소(㉡)
· 스트레스 및 불안 감소
· 인지기능 향상
· 치매 지연
· 기억장애 발생 감소
· 집중력 및 단기 기억력 향상

㉠ 운동 기술 습득은 운동기능 향상이고, ㉣ 사회적 연결망 확장은 사회적 효과이다.

정답 20 : ②, 21 : ②, 22 : ④, 23 : ②, 24 : ③

필수문제

25 보기의 ㉠, ㉡에 해당하는 노인체력검사(SFT) 항목이 바르게 연결된 것은?

» (㉠) : 식료품 나르기와 손자 안아주기가 어렵다.
» (㉡) : 버스에서 신속하게 내리기가 어렵다.

	㉠	㉡
①	30초 아령 들기	등 뒤에서 양손 마주잡기
②	30초 아령 들기	2.4 m 왕복 걷기
③	등 뒤에서 양손 마주잡기	2분 제자리 걷기
④	2.4 m 왕복 걷기	2분 제자리 걷기

■ SFT검사 항목
- 의자에서 일어섰다 앉기 : 양팔을 모으고 30초간 의자에서 일어섰다가 앉는 횟수
- 덤벨들기 : 여성 2.27kg, 남성 3.37kg의 덤벨을 들고 30초간 이두근을 굽혔다 편 횟수
- 6분걷기 : 45.7m 코스를 6분간 뛰지 않고 최대한 빠르게 걸은 거리
- 2분스텝테스트 : 좌우 무릎을 2분간 각각 무릎 높이 이상 올린 횟수
- 의자에 앉아 손뻗기 : 의자에 앉아서 한 쪽 다리를 뻗고 양손을 모아 발끝을 향해 뻗음
- 등 뒤에서 양손 모으기 : 한 손은 어깨 위로, 다른 손은 등 가운데로 뻗은 상태에서 양손 중지 사이의 거리
- 앉아 있다가 2.44m 왕복걷기 : 앉아 있다가 신호를 주면 2.44m 반환점을 돌아 앉은 자세로 복귀하는 시간

필수문제

26 보기의 기능을 평가하기 위한 리클리와 존스(Rikli & Jones)의 노인체력검사(Senior Fitness Test: SFT)의 검사항목은?

보기
» 버스 타고 내리기
» 빨리 일어나서 전화 받기
» 욕조에 들어가고 나오기
» 자동차나 다른 물체로부터 신속하게 몸 피하기

① 덤벨 들기　② 2분 제자리 걷기
③ 2.44 m 왕복걷기　④ 의자 앉아 앞으로 굽히기

■ 보기와 같이 빠른 동작을 필요로 하는 과제에서 중요한 것은 민첩성과 동적 균형의 평가인데, 검사항목은 2.44m 왕복걷기이다.

정답 25 : ②, 26 : ③

심화문제

27 노인체력검사(Senior Fitness Test) 항목에서 2.4m 왕복 걷기와 관련된 활동으로 옳은 것은?

① 자동차나 목욕탕에 들어가고 나오기
② 손자 안기, 식료품 가방 들기
③ 장거리 보행, 계단 오르기
④ 버스 빠르게 타고 내리기

■ ①은 의자에 앉았다 일어서기로 평가
②는 덤벨 들기로 평가
③은 6분 걷기로 평가

필수문제

28 보기에서 ㉠, ㉡에 들어갈 용어를 바르게 나열한 것은?

보기

리클리와 존스(Rikli & Jones)의 노인체력검사(Senior Fitness Test: SET)		
검사항목	㉠	㉡
일상생활 능력	• 욕실에서 머리 감기 • 상의를 입고 벗기 • 차에서 안전벨트 매기	• 걷기 일상생활 • 계단 오르기 • 자동차 타고 내리기

	㉠	㉡
①	등 뒤에서 양손 마주 잡기	의자에 앉았다가 일어서기
②	등 뒤에서 양손 마주 잡기	의자에 앉아윗몸 앞으로 굽히기
③	아령 들기	의자에 앉아윗몸 앞으로 굽히기
④	아령 들기	의자에 앉았다가 일어서기

■ 등뒤에서 양손 마주 잡기
· 방법 : 한 손은 어깨 위로, 다른 손은 등 가운데로 뻗어 양손의 중지 사이 거리 측정
· 목적 : 머리 감기 · 벗기, 옷 입고벗기, 안전벨트 착용 등이 요구되는 상체 유연성 평가
· 위험 수준 :
남자 – 20cm 이상
여자 – 10cm 이상

■ 의자에서 앉았다 일어서기
· 방법 : 양팔을 가슴에 모은 채 30초 동안 의자에서 일어섰다 앉은 횟수
· 목적 : 걷기, 계단오르기, 욕조나 차량 승하차 등 생활과제 수행을 위한 하체능력 평가
· 위험수준 : 남녀 모두 도움 없이 8회 미만

심화문제

29 노인체력검사(Senior Fitness Test : SFT)의 항목이 아닌 것은?

① 등 뒤로 손닿기
② 서서 윗몸 앞으로 굽히기
③ 2분 제자리 걷기
④ 30초 아령 들기

서서 하는 것이 아니라 다리를 뻗고 앉아서 윗몸 앞으로 굽히기를 한다.

정답 27 : ④, 28: ①, 29 : ②

30 **한국형 노인체력검사에서 유연성을 검사하기 위해서 앉아서 윗몸 앞으로 굽히기를 측정하는 방법을 설명한 것이다. 틀린 것은?**

① 피검자는 신을 벗고 양쪽 발바닥이 측정기구의 수직면에 밀착되도록 무릎을 펴고 바르게 앉는다.

② 피검자가 양쪽 팔을 쭉 뻗었을 때 측정자의 손끝에 닿도록 측정자의 위치를 조절한다.

③ 시작 신호와 함께 허리를 굽히고, 팔과 손바닥을 쭉 뻗어서 측정자를 최대한 멀리 밀어낸다. 무릎을 구부리면 안 된다.

④ 허리에 반동을 주어야 멀리 밀어낼 수 있고, 2회 반복 측정하여 최고기록을 0.1cm까지 기록한다.

■ 앉아서 윗몸 앞으로 굽히기를 할 때 허리에 반동을 주면 안 된다.

31 **심폐지구력을 검사하기 위해서 6분 걷기를 측정하는 방법을 설명한 것이다. 틀린 것은?**

① 바닥에 20m×5m 또는 10m×5m인 직사각형을 그려놓고, 매 1m마다 표시를 한다.

② 시작 신호와 함께 가능한 한 빠른 속도로 걷거나 뛰어서 직사각형을 계속해서 돈다.

③ 측정 중에 의자에 앉아서 쉬었다가 다시 걸어도 된다.

④ 3분이 지난 다음부터는 남은 시간을 1분 단위로 알려주고, 6분이 되는 순간의 위치와 바퀴 수로 걸은 총거리를 계산해서 기록한다.

■ 뛰면 안 되고, 반드시 걸어야 한다.

32 **한국형 노인체력검사에서 2분 제자리걷기를 측정할 때 유효한 걸음수로 계산될 수 있는 무릎의 높이는?**

① 무릎과 엉덩뼈능선(장골능)의 중간 높이

② 무릎에서 엉덩뼈능선(장골능)의 1/3되는 높이

③ 무릎에서 엉덩뼈능선(장골능)의 2/3되는 높이

④ 엉덩뼈능선(장골능)의 높이

33 **한국형 노인체력검사에서 보행 및 동적 평형성을 검사하기 위해서 의자에 앉았다 일어나서 3m 표적 돌아와 앉기를 측정하는 방법이다. 틀린 것은?**

① 의자의 중앙에서 고깔의 중앙이 3m가 되도록 설치한다.

② 피검자는 의자의 중앙에 발바닥을 편평하게 바닥에 대고 앉는다. 손은 허벅다리 위에 얹는다.

③ 시작 신호와 함께 의자에서 일어나 걸어서 고깔을 돌아온 다음 의자에 다시 앉을 때까지 시간을 측정한다.

④ 2회 측정하고, 빠른 것을 0.1초까지 기록한다.

■ 의자 앞에서 고깔 뒤까지의 거리가 3m여야 한다.

정답 30 : ④, 31 : ②, 32 : ①, 33 : ①

34 **한국형 노인체력검사에서 측정요인과 측정방법을 잘못 짝지은 것은?**

① 심폐지구력 - 2분 제자리걷기
② 협응력 - 8자 걷기
③ 다리근육기능 - 의자에 앉았다 일어나서 3m 표적 돌아와 의자에 앉기
④ 유연성 - 앉아 윗몸 앞으로 굽히기

■ 의자에 앉았다 일어나서 3m 표적 돌아와 의자에 앉기는 보행 및 동적 평형성을 측정하는 것이다.
■ 미국형 노인체력검사에는 민첩성이 있지만, 한국형 노인체력검사 항목에는 협응성이 있다.

35 **노인체력검사에서 '보행 및 동적평형성'을 동시에 측정하는 검사방법은?**

① 의자에 앉았다 일어서기
② 앉아 윗몸 앞으로 굽히기
③ 8자 보행
④ 의자에 앉아 있다 3m 앞 표적 돌아와서 다시 앉기

■ ①은 하지근력, ②는 유연성, ③은 민첩성을 측정한다.

36 **한국형 노인체력검사에서 다리 근육기능을 검사하기 위해서 의자에 앉았다가 일어서기를 측정하는 방법이다. 틀린 것은?**

① 등을 곧게 펴고 의자에 앉아서 양발을 바닥에 완전히 댄다.
② 양팔을 손목에서 교차하여 가슴 앞에 모은다.
③ 시작 신호와 함께 완전히 일어섰다가 앉은 자세로 되돌아온다.
④ 30초 동안에 반복한 횟수를 0.1회 단위로 기록한다.

■ 30초 동안의 반복횟수를 1회 단위로 기록한다.

37 **'2분 제자리 걷기'로 측정할 수 있는 노인 체력요인은?**

① 민첩성 ② 유연성 ③ 심폐지구력 ④ 평형성

38 **한국형 노인체력검사에서 팔근육 기능을 검사하기 위해서 상대악력을 측정하는 방법에 대한 설명이다. 틀린 것은?**

① Smedley식 악력계를 사용한다.
② 악력계가 어깨 높이에 오도록 잡고 측정한다.
③ 좌우를 교대로 2회씩 측정하고, 최고치를 0.1kg 단위로 기록한다.
④ '악력÷체중×100'으로 상대악력(%)을 계산한다.

■ 팔을 아래로 내려 곧게 편 자세에서 악력계를 잡고 측정한다.

39 **한국형 노인체력검사의 항목과 검사방법이 잘못 짝지어진 것은?**

① 심폐능력 - 6분 걷기
② 다리근육 기능 - 의자에 앉았다 일어서기
③ 팔근육 기능 - 덤벨들기
④ 유연성 - 앉아서 윗몸 앞으로 굽히기

■ 미국형에서는 팔근육기능을 덤벨들기로 검사하지만, 한국형에서는 악력으로 검사한다.

정답 34 : ③, 35 : ④, 36 : ④, 37 : ③, 38 : ②, 39 : ③

03 Chapter 노인 운동프로그램의 설계

운동 프로그램의 요소

노인 운동이든 청소년 운동이든 운동프로그램에는 운동양식(종류), 운동강도, 운동시간, 운동빈도와 같은 요소가 반드시 있어야 한다.

1 운동양식

☞ 운동양식 또는 종류라고 하면 농구, 배구, 축구 등과 같은 특정 종목을 생각하기 쉽지만, 노인들이 하는 운동은 건강을 위해서 하는 운동이기 때문에 특정한 종목에 치우치지 말아야 한다.

☞ 노인의 운동은 남을 따라서 하는 운동이 아니라 자기 자신의 생명력을 유지시키는 운동이어야 한다.

☞ 개인별 능력에 따라서 적절한 운동을 선택하여야 한다.

▶ 유산소 운동

ⓐ 유산소 운동이란 운동종목에 구애를 받지 않고 보통 30분 이상 지속 가능한 운동을 말한다.

ⓐ 유산소 운동은 목표심박수에 맞춰서 해야 효과가 극대화되고, 부상의 위험도 적다. 보통 초보자(저강도)는 여유심박수의 50%, 중급자(중간강도)는 60%, 고급자(고강도)는 70%를 목표심박수로 잡는다.

▶ 근력강화 운동

ⓐ 유산소 운동만으로는 노년기 건강을 위한 운동으로 충분하지 않다. 주당 2일 이상 근육을 강화하는 운동을 해야 한다.

ⓐ 근력강화 운동은 평소의 일상활동을 할 때보다 근육을 더 많이 사용하는 것을 말한다.

ⓐ 근력강화 운동은 중간강도 또는 고강도로 해야 하고, 힘이 들어서 더 이상 반복할 수 없을 때까지 계속해야 효과가 있다.

ⓐ 보통 8~12번 반복하는 것을 1세트라 하고, 1세트를 마치고 쉬었다가 힘이 있으면 1세트를 더 하는 식으로 운동을 한다.

▶ 유연성 운동

ⓐ 관절의 유연성은 나이가 들수록 감소하지만, 운동으로 회복할 수 있다.

ⓐ 유연성 운동은 저항운동과 함께했을 때 자세의 안정성과 균형감각을 향상시켜준다.

ⓐ 정적 스트레칭은 근력이나 다른 사람 또는 도구(탄력밴드, 막대 등)의 도움으로 자세를 유지하는 것으로, 근육 속의 신경감각을 예민하게 만든다.

ⓐ 움직이는 신체의 탄력을 이용해서 스트레칭하는 것을 역동적 스트레칭이라고 한다.

⑧ 한 자세에서 다른 자세로 서서히 이동하는 것을 동적 스트레칭이라 하고, 여러 번 반복할 수록 운동범위가 점점 증가한다.
⑧ 근육의 온도를 올리면 유연성 운동의 효과를 더 올릴 수 있다.

▶ 균형 운동

⑧ 노인들이 가장 조심해야 할 것 또는 가장 걱정해야 할 것 중 하나가 낙상이다. 낙상의 위험이 있으면 주당 3일 이상 균형 운동을 할 것이 권장된다.
⑧ 균형 운동은 가구처럼 안정적인 물체를 지지하고 수행할 수도 있고, 지지하는 물체 없이 수행할 수도 있다.
⑧ 하루에 20~30분 이상, 주당 2~3일 이상, 주당 총 60분 이상의 균형 운동을 할 것을 권장하고 있다.

2 운동강도

☞ 숨이 턱 끝까지 차오를 때까지 운동을 할 것인지, 아니면 쉬엄쉬엄 운동을 할 것인지를 운동강도라고 한다.
☞ 노인들의 운동강도를 결정할 때에는 안전성과 유효성 두 가지를 고려해야 한다. 즉, 안전성의 한계와 유효성의 한계 사이에서 설정해야 한다.

운동강도를 정하는 방법에는 다음과 같은 방법들이 있다.

▶ 최대산소섭취량을 이용하여 정하는 방법

⑧ 사람마다 최대산소섭취량을 측정한 다음 그것의 몇 % 라는 식으로 운동강도를 정한다.
⑧ 호흡가스분석기가 장착된 트레드밀에서 선수가 쓰러지기 직전까지 운동을 시켜야 한다.
⑧ 너무 위험하기 때문에 노인에게는 사용하지 않는다.

▶ 심박수를 이용하여 정하는 방법

⑧ 1분 동안에 뛰는 심장 박동의 수로 운동량을 정하는 방법이다.
⑧ 1분 동안에 심장이 박동하는 횟수는 어린아이일수록 빠르고 나이가 들면 적어진다. 보통 220에서 자신의 나이를 뺀 숫자가 최대심박수와 비슷하다.
⑧ 심박수로 운동강도를 결정하는 가장 쉬운 방법은 '최대 심박수의 80%까지 운동을 하겠다.'라는 식으로 정하는 것이다.
⑧ 깨어 있으면서 의자에 앉아서 편히 쉬고 있을 때의 심박수를 '안정시 심박수'라고 한다. 안정시 심박수는 사람마다 다르고, 운동을 많이 한 사람은 안정시 심박수가 낮다.
⑧ 최대 심박수에서 안정시 심박수를 뺀 차이를 '여유 심박수'라고 한다. 즉, 운동을 해서 증가시킬 수 있는 여유분이라는 뜻이다.
⑧ 보통 여유 심박수의 몇 %까지 운동을 하겠다는 식으로 운동강도를 정한다.

▶ 운동자각도를 이용해서 정하는 방법

ⓐ 운동을 하는 본인이 얼마나 힘든 운동이라고 느끼는지를 '운동자각도'라고 한다.

ⓐ 가장 손쉽게 할 수 있는 운동을 6, 가장 힘들게 할 수 있는 운동을 20으로 해서 몹시 가볍다(7), 매우 가볍다(9), 가볍다(11), 약간 힘들다(13), 힘들다(15), 매우 힘들다(17), 몹시 힘들다(19)로 숫자를 매기는 것이다.

ⓐ 운동자각도 6은 심박수 60에 해당하고, 운동자각도 20은 심박수 200에 해당하는 것을 원칙으로 만들었지만, 정확하게 일치하지는 않는다.

ⓐ 운동자각도 12~13이 여유심박수 50%의 운동강도와 비슷하다고 한다.

▶ MET수를 이용해서 정하는 방법

ⓐ 앉아서 편안하게 휴식을 취하고 있을 때 체중 1kg이 1분 동안에 소모하는 열량을 1MET라고 한다.

ⓐ 1MET는 사람마다 차이가 있지만 평균 약 1킬로칼로리이다. 체중 50킬로그램인 사람이 10분 동안 앉아서 휴식을 취하고 있었다면 약 500 킬로칼로리의 열량을 소비하는 셈이 된다.

ⓐ 운동이나 생활활동의 운동강도를 MET수로 나타내면 편안히 쉴 때보다 몇 배의 에너지를 소모하는 운동이라는 뜻이 되므로 편리하다.

ⓐ 1 MET는 산소소비량 3.5 밀리리터에 해당된다.

ⓐ 보통 3METs 이하는 저강도 운동, 6METs 이하는 중간강도 운동, 6METs 이상이면 고강도 운동으로 분류한다.

▶ 반복횟수를 이용하여 정하는 방법

ⓐ 중량운동을 할 때 단 한 번만 들어올릴 수 있는 역기의 무게를 1RM이라고 한다.

ⓐ 10번 반복해서 들어올릴 수 있는 무게이면 10RM이다.

ⓐ 그러므로 10RM이 1RM의 10분의 1이라는 뜻은 아니다.

ⓐ 노인들을 상대로 1RM을 측정하려고 하면 부상의 위험이 크므로 공식을 이용해서 간접적으로 측정하는 것이 좋다.

ⓐ 중량을 바꾸어가면서 여러 번 실험을 해서 10RM의 무게를 알아낸 다음 거기에 1.25를 곱하면 1RM과 거의 비슷하다.

ⓐ 노인들이 중량운동을 할 때에는 1RM의 65~75%의 무게로 운동을 하는 것이 좋다. 65~75%의 무게는 보통 8~12회 반복해서 들어올릴 수 있기 때문에 8~12RM이라고도 한다.

3 운동시간

노인 운동프로그램을 설계할 때 운동시간을 설정하는 방법은 다음과 같다.

☞ 운동시간은 운동강도가 높으면 짧게, 운동강도가 낮으면 길게 설정하는 것이 원칙이지만, 노인들에게 긴 운동시간은 피로 또는 부상을 유발할 가능성이 많으므로 피하는 것이 좋다.

☞ 적절한 강도의 신체활동은 1주에 150분, 격렬한 강도의 신체활동은 1주에 75분이 적당하다.

☞ 유산소 운동은 한 번에 적어도 10분 이상 지속하고, 저항 운동은 2~3세트가 적당하다.

☞ 낙상을 방지하기 위한 균형 운동은 1주에 '90분+걷기 60분'을 해야 한다.

4 운동빈도

노인 운동프로그램을 설계할 때 운동빈도를 정하는 방법은 다음과 같다.

☞ 운동시작 시의 체력수준을 반드시 고려하고, 유산소 운동은 1주에 3~5회 실시해야 한다.

☞ 근력운동은 1주에 3회 실시한다. 근력운동과 근력운동 사이에 48시간의 휴식시간을 둔다.

☞ 낙상위험이 높은 노인은 1주에 3회 이상의 균형능력 향상 운동을 실시한다.

☞ 유연성 운동은 운동할 때마다 10분 이상하고, 동작마다 10~30초 동안 자세를 유지하고, 3~4회 반복한다.

동기유발

1 행동변화 이론

신체활동을 하지 않는 사람들을 대상으로 신체활동에 참여하도록 유도하는 방법, 즉 행동변화를 일으키는 방법에 대하여 이론적으로 연구하는 것을 '행동변화 이론'이라고 한다.

► 행동주의 학습이론

원하는 반응이 나타나도록 반복적으로 자극을 가하면 점증적으로 행동의 변화가 일어난다는 이론이다. 따라서 노인들이 운동을 하게 하려면 자극과 반응을 잘 조작하여 학습을 시켜야 한다.

그런데 노인들의 활동은 미래의 보상에 대한 기대를 통해서 유지되거나 학습된다. 노인들에게 미래의 보상으로 작용하는 것은 신체적으로 보기 좋음, 타인의 칭찬이나 선물, 내적인 성취감 등이다. 그러므로 위의 3가지를 잘 이용하면 노인이 운동할 수 있도록 행동변화를 일으킬 수 있다.

► 건강 신념 모형

노인들이 건강을 추구하는 행동(건강 행동)을 할 것인지 아니할 것인지는 다음 4가지 신념이 아주 중요하다는 이론이다.

⑧ 지각된 취약성……자신이 질병이나 장애에 취약하다는 것을 지각하는 것.

⑧ 지각된 심각성……질병이나 장애에 걸리면 그 결과가 심각하다는 것을 지각하는 것.

⑧ 지각된 이점……건강을 증진하는 행동을 하면 이득이 된다는 것을 지각하는 것.

⑧ 지각된 장애물……건강행동을 방해하는 요소가 있다는 것을 지각하는 것.

위의 4가지 건강 신념 중 운동을 하면 이익이 된다는 것은 부추기고, 운동에 방해가 되는 요소들은 제거해주거나 영향이 미미함을 알려주면 노인들이 운동하도록 행동변화를 일으킬 수 있다.

► 합리적 행위이론

사람들이 어떤 행동을 하려고 결정하기 전에 관련된 정보를 합리적이고 체계적으로 사용하며, 행동의 결과에 대해 신중히 고려한 다음에 비로소 행동한다는 이론이다.

⑧ 행동을 직접적으로 결정하는 것은 행동을 하려는 '의도'이고, 의도에 영향을 미치는 것은

'행동에 대한 태도'와 '주관적 규범'이다.

ⓐ '행동에 대한 태도'는 그 행동이 어떠한 결과를 가져올 것이라는 개인적 평가와, 그러한 결과가 나타날 가능성이 얼마나 있느냐에 따라서 결정된다.

ⓐ 그러므로 행동의 결과가 좋은 결과를 가져올 것이고, 그 가능성도 높으며, 행동변화를 일으킬 수 있다는 확신을 심어주면 운동을 하는 방향으로 행동변화가 일어난다.

ⓐ '주관적 규범'은 그 행동에 대해 자신이 중요하게 여기는 '타인들의 태도'와 자기 자신이 타인들의 뜻에 따르려는 '순응동기'에 따라 결정된다. 즉, 주위 사람들이 운동을 하면 좋다고 권유하고, 본인이 그에 응하면 운동을 시작하는 방향으로 행동변화가 온다.

ⓐ 이 이론은 여러 행동을 비교적 간략한 요인들로 설명할 수 있다는 장점이 있어서 많은 연구자들이 널리 사용했는데, 그 한계점도 있다. 왜냐하면 사람들이 어떤 행동을 하려는 의도가 있어도 실행할 능력이나 자원이 부족하면 행동으로 연결되기 어렵기 때문이다.

▶ 계획된 행동이론

합리적 행위이론에서 사람이 어떤 행동을 하려는 의도에 영향을 미치는 변인에는 '행동에 대한 태도'와 '주관적 규범'이 있다고 하였는데, 여기에 '지각된 행동 통제력'이라는 변인을 하나 더 추가해야 한다는 것이 계획된 행동이론이다.

ⓐ '지각된 행동 통제력'이란 그 사람이 바라는 행동 결과를 달성하는 것이 얼마나 쉽거나 어려운지에 대한 그 사람의 신념으로 과거의 행동 경험과 자기 능력에 대한 지각을 반영한다.

ⓐ 운전을 할 때 과속을 해도 자기 자신이 속도를 잘 통제할 수 있어서 사고를 막을 수 있다는 자신감이 있어야 과속을 하듯이, 자기 자신의 '지각된 통제력'이 있어야 행동변화를 일으킨다는 것이다.

▶ 행동변화 단계이론

행동변화 단계이론에서는 행동을 변화시키는 요인을 의사결정 균형, 자기효능감, 그리고 변화과정으로 본다.

ⓐ 의사결정 균형……신체활동을 해서 얻는 이익도 있지만 신체활동을 하기 위해서는 돈이나 시간 등을 희생해야 한다는 것도 알고,

ⓐ 자기효능감……신체활동을 하지 않으면 질병에 걸릴 위험성이 크다는 것도 알지만, 신체활동을 행동으로 옮기려면 능력과 자신감이 있어야 한다. → 즉, 의사결정 균형과 자기효능감이 있어야 행동 변화를 일으켜서 건강행동을 할 수 있게 된다는 이론이다.

ⓐ 변화 과정……행동 변화를 일으키는 과정에는 체험적 과정과 행동적 과정이 있는데, 다음 단계로 넘어가기 위해서는 반드시 두 과정을 모두 거쳐야 한다.

① 체험적 과정……운동에 대한 개인의 태도, 생각, 느낌을 바꾸는 것. / 운동을 시작하기 위해 필요한 정보를 얻는 과정→운동에 관한 자료를 제공하거나 운동을 시작한 사람의 예를 설명해 주는 등의 중재활동을 해야 한다.

② 행동적 과정……행동 수준에서 환경 변화를 유도하는 것→운동복을 눈에 잘 띄는 곳에 걸어두기, TV 리모컨 배터리 빼기 등의 중재 활동을 해야 한다.

＊프로차스카(J. Prochaska)의 범이론적 모형

행동 변화는 5단계를 거쳐서 일어나되, 낮은 단계에서 위로 올라갈 수도 있지만 후퇴 또는 정체도 가능하다.

1) 무관심 단계(고려 전 단계)……앞으로 6개월 이내에 운동을 시작할 의사가 없다. 무관심단계에 속한 사람은 운동으로 얻는 혜택보다는 손실을 더 크게 생각한다.

→ 운동에 따른 혜택에 관한 정보를 제공, 소책자, 비디오, 상담.

2)관심 단계(고려 단계)…앞으로 6개월 이내에 운동을 시작할 의사가 있다. 운동을 했을 때 자신에게 오는 이득과 손해가 비슷하다고 생각한다. 운동에서 오는 이득에 대해 좀 더 구체적으로 생각하게 한다. 하루 일과에 운동시간을 포함시킨다. 자신이 과거에 잘 했거나 즐거움을 느꼈던 운동을 생각해 보고 시도를 한다.

→ 운동에 대해 도움을 줄 수 있는 사람 한두 명으로부터 조언을 구한다.

3)준비 단계…현재 운동을 하고 있지만, 가이드라인을 채우지 못함. 운동을 할 준비가 되어 있지만 제대로 못할 것이라는 생각에 자기효능감이 낮다. 구체적인 운동계획을 주위 사람들에게 이야기한다. 혹시나 실패하면 어떻게 하나가 가장 큰 걱정거리이다.

→ 자기효능감을 높여주는 전략과 운동을 시작하도록 실질적인 도움을 준다. 운동 동반자 구하기, 운동목표 설정하고 달성 방법 계획하기.

4)실천 단계(행동 단계)…이미 운동을 실천해 오고 있다. 이전 단계로 후퇴하지 않도록 조심해야 하는 단계, 가장 불안정한 단계이다. 자신의 행동 중 건강하지 못한 행동을 건강한 운동으로 대체하려고 노력한다. 건강 운동을 하지 않는 사람과의 만남을 회피한다. 이 단계에 있는 사람은 건강 행동을 보다 더 강력하게 실천할 수 있는 방법에 대한 학습이 필요하다.

→ 운동 실천을 방해하는 요인을 극복하는 방법을 제시한다. 목표 설정, 운동 계약, 스스로 격려하기, 연간계획 수립하기, 주변의 지지 얻기

5)유지 단계…6개월 이상 꾸준히 운동을 해 왔다. 하위 단계로 내려갈 가능성이 낮다. 스트레스 또는 어떤 원인 때문에 건강 운동을 그만두는 일이 발생할 수도 있다는 것을 알고, 그것을 극복할 수 있는 방법을 모색하려고 노력한다.

→ 운동을 못하게 되는 상황이 무엇인가를 미리 파악하여 대비하는 전략. 일정을 조정하여 운동 시간을 확보하기, 자신감과 웰빙 느낌 높이기, 다른 사람에게 운동 조언자 역할하기.

▶ 사회인지 이론(상호결정론)

인간의 행동은 개인의 ① 내적 요인(인지적 능력, 신체적 특성, 신념과 태도), ② 행동요인(운동반응, 정서적 반응, 사회적 상호작용), ③ 환경요인(물리적 환경, 사회적 환경, 가족과 친구)의 상호작용에 의해서 변화가 생긴다는 이론이다.

2 노인 운동의 동기유발 요인과 동기저해 요인

▶ 동기 유발 요인

- ☞ 건강증진 및 질병위험 감소
- ☞ 스트레스 해소 등 정신적 건강
- ☞ 가족이나 친구와 함께 운동하는 등 사회참여
- ☞ 외모의 유지와 체중관리

▶ 동기 저해 요인

☞ "무엇은 절대로 안 돼!" 하는 식의 개인적 신념

☞ 비현실적인 몸매 만들기에 대한 기대

☞ 신체적인 기능 향상에 대한 기대

☞ 교통의 불편 또는 시설에 접근하기 어려움

3 목표 설정

노인들에게는 새로운 신체활동을 시작하라고 권유하는 것보다는 신체활동의 목표를 설정하라고 권유하는 것이 더 효과적이다. 단기적 목표와 장기적 목표로 나누어서 설정하되, 다음과 같은 세부적인 원리에 따라서 설정해야 한다.

☞ S(Specific)……구체적으로

☞ M(Measurable)……측정 가능한 것으로

☞ A(Attainable)……이룰 수 있는 것을

☞ R(Relevant)……적절한 것을 합리적인 방법으로

☞ T(Time based)……시간 또는 기간을 정해서

운동 권장지침 및 운동방안

1 노인과 성인의 차이점

☞ 노인은 평소 생활능력이 일반 성인보다 한참 떨어진다.

☞ 사소한 질환이 생겼을 때 신체기능이 일반 성인에 비해 큰 폭으로 떨어진다.

☞ 기능이 떨어진 후에는 일반 성인과 달리 의존적이 된다.

☞ 회복시간도 한참 길다.

☞ 회복이 되더라도 예전 수준까지 회복하지 못한다.

2 노인 신체활동 권장지침

65세 이상의 노인 건강을 위한 WHO의 신체활동 권장지침은 다음과 같다.

☞ 65세 이상의 노인은 일주일에 적어도 합계 150분 이상의 중간강도 유산소 활동 또는 일주일에 적어도 75분 이상의 격렬한 유산소 활동을 하거나, 아니면 동등 양의 중간강도와 격렬한 활동을 섞어서 실시한다.

☞ 유산소 활동이 적어도 10분 이상 지속되도록 실시한다.

☞ 건강 유익을 더하기 위해서 노인은 중간강도의 유산소 활동을 일주일에 300분, 또는 격렬한 활동을 일주일에 150분으로 늘리거나, 아니면 동등 양의 중간강도와 격렬한 활동을 섞어서 해야 한다.

☞ 기동성이 낮은 이 연령대의 노인은 균형감각을 강화하고 낙상을 방지하는 신체활동을 일주일에 3회 이상 해야 한다.

☞ 근육강화 활동은 주요 근육을 포함하여 일주일에 2회 이상 해야 한다.

☞ 이 연령 그룹의 노인이 건강 상태로 인해 권장량만큼의 신체활동을 할 수 없는 경우에는

자기 컨디션에 맞게 신체활동을 해야 한다.

노인 신체활동 프로그램의 개요 및 구성

1 노인 운동프로그램 계획 시 고려할 사항

☞ 노인의 일상생활에 필요한 기능 활동을 우선적으로 고려해야 한다.

☞ 노인들은 나이가 비슷하더라도 체력에 큰 차이가 있으므로 개인의 능력에 알맞은 강도와 난이도로 운동 프로그램을 계획해야 한다.

☞ 노인은 절대로 무리하면서 운동을 해서는 안 된다.

☞ 노인은 한 가지 운동을 했을 때 여러 가지 부수적인 운동효과를 기대하기 어렵다.

☞ 노인 운동프로그램은 유산소 운동, 저항 운동, 평형성 운동, 스트레칭 운동으로 구성하는 것이 보통이다.

☞ 운동강도, 운동시간, 운동빈도에 대해서는 일률적으로 권장하기 어렵다.

☞ 운동의 장점 리스트를 작성해서 잘 보이는 곳에 두면 운동을 오랫동안 지속하는 데에 도움이 된다.

2 노인이 운동할 때 주의해야 할 점

☞ 준비운동과 정리운동을 반드시 5분 이상씩 실시해야 한다.

☞ 덥거나 추울 때 또는 몸이 피곤할 때에는 운동을 피하는 것이 좋다.

☞ 낙상으로 인한 상해를 주의하고, 힘이 들면 운동을 중단하고 휴식을 취한다.

☞ 운동 전·후에 커피, 콜라, 홍차 등은 삼가고, 음료수(물)를 섭취하도록 한다.

☞ 운동 전 2시간 또는 운동 후 1시간 이내에는 식사를 피한다.

☞ 운동 후에 흡연은 특히 금해야 한다.

3 노인을 위한 유산소 운동

☞ 신체의 큰 근육들이 규칙적으로 움직이는 운동으로 빠르게 걷기, 조깅, 자전거 타기 등이 대표적인 유산소 운동이다.

☞ 일주일에 150분 정도의 유산소 운동을 하면 60대는 3년 반 이상 수명 연장의 효과가 있다.

4 노인을 위한 저항운동(근력강화 운동)

☞ 근력강화 운동은 평소 일상생활에서 사용하는 것보다 더 많은 근육을 사용하는 운동을 말한다.

☞ 다리·가슴·허리·배·어깨·팔 등의 근육이 주요한 근육이고, 역기를 들거나, 팔 굽혀 펴기, 턱걸이, 윗몸 일으키기 등이 근력강화 운동에 속한다.

☞ 근력운동은 최대근력의 50~70% 강도로 10~20회 반복하고, 일주일에 2~3회 정도한다.

☞ 근력이 향상되면 운동강도를 점차적으로 올린다.

5 노인을 위한 유연성 운동

☞ 정적 스트레칭을 주로 한다.
☞ 약간 불편을 느낄 정도의 강도로 운동한다. (중간~고강도)
☞ 반드시 10~20초의 정지동작을 포함해야 한다.
☞ 주당 2~3회가 적당하다.

6 노인을 위한 평형성 운동

☞ 근력강화 운동의 일부로 실시한다.
☞ 하지관절 주위의 근육과 인대를 강화시키는 방향으로 운동을 한다.
☞ 탁자 등을 잡고 하거나 혼자 서서 한다.
☞ 주당 3회 정도가 좋다.

건강한 노인을 위한 여가활동

노인의 삶은 여가시간의 연속이라고 해도 과언이 아니다. 노년기의 여가시간 활용 여부가 노년기 삶의 질을 결정한다.

1 노인들에게 여가의 의의

☞ 노년기의 여가활동은 자아실현을 위한 마지막 기회가 될 수 있다.
☞ 노년기의 여가활동을 통하여 정신적·사회적 건강을 도모할 수 있다.
☞ 여가활동을 통하여 친구 또는 집단과의 관계를 유지·발전시켜 나갈 수 있다.
☞ 가족이나 이웃과 친밀한 관계를 형성할 수 있고, 사회참여의 계기를 마련할 수 있다.

2 노후를 보내고 싶은 방법(보건사회연구원)

☞ 건강을 유지하면서 보내고 싶다 - 52.3%
☞ 일하면서 보내고 싶다 - 19.6%
☞ 그냥 편히 쉬고 싶다 - 14.6%
☞ 종교활동(5.8%), 취미활동(4.1%), 자원봉사(2.5%), 자아개발(1.1%)

노인이 선호하는 스포츠를 실시할 때 주의사항

1 스트레칭

스트레칭을 하는 목적은 자신이 필요로 하는 부위의 근육을 펴서 늘리는 것이므로 개인의 체력수준, 유연성, 훈련 정도 등에 따라 운동강도가 달라야 한다. 근육이나 힘줄을 팽팽히 잡아 늘리자면 위험성이 따르므로 운동방법을 바르게 알고 실천하는 것이 중요하다.

☞ 반드시 준비운동을 해야 한다.
☞ 동작을 가능한 한 정확하게 해야 하고,
☞ 무리하거나 반동을 주면 안 된다.

☞ 호흡을 부드럽고 자연스럽게 계속해야 하고,

☞ 절대로 경쟁적으로 스트레칭을 하면 안 된다.

2 걷기

걸을 때에는 허리를 바로 세우고, 배를 내밀지 않은 상태에서 반듯이 걷는 것이 좋다. 팔은 자연스럽게 흔들고 발꿈치가 가장 먼저 땅에 닿은 다음 무게중심을 발앞꿈치 쪽으로 옮기는 것이 좋다. 발바닥 전체로 내딛거나 보폭을 너무 크게 하면 피로가 빨리 오고 나중에는 발바닥에 통증이 생긴다.

운동으로 걷기를 할 때에는 목표심박수를 정해놓고 그에 맞추어서 하는 것이 효과적이다.

☞ 약 10분 정도 걸었을 때 목표심박수에 도달하는 것이 좋다.

☞ 목표심박수에 도달한 다음 30~60분 동안 더 걷는 것이 좋지만, 피곤하면 30분 정도에서 그만둔다.

☞ 운동빈도는 주당 4회 정도가 좋고, 친구와 함께 걸으면 아주 좋다.

☞ 처음에는 하루에 약 2분씩 걷는 시간을 늘리고, 걸은 거리가 4.5 킬로미터 정도 되면 시간을 늘리지 말고, 같은 거리를 더 빠른 시간 안에 걷는 식으로 연습을 한다.

☞ 정리운동을 하고 운동을 마쳐야 하고, 운동 후에 족욕이나 반신욕을 하면 피로가 빨리 풀린다. 그러나 뜨거운 한증탕에 가서 몸을 지지는 것은 금물이다.

☞ 충분히 숙달이 되었으면 목표심박수 또는 총 걷는 거리를 늘린다.

☞ 가볍고 편한 신발을 신어야 하고, 땀이 잘 흡수되는 옷을 입는 것이 좋다.

☞ 추울 때에는 두꺼운 옷보다는 얇은 옷을 여러 벌 껴입는 것이 좋다.

☞ 현기증이나 두통이 느껴지면 걷는 속도를 늦추거나 운동을 중단하고 의사와 상의해야 한다.

3 맨손체조

맨손체조는 기구를 사용하지 않고 맨손으로 하는 온몸운동이다. 신체를 균형 있게 발달시킬 뿐만 아니라 자세를 바르게 하고, 근력과 관절의 가동성을 증가시키기 때문에 운동 전후의 준비운동과 정리운동으로도 널리 이용되고 있다.

☞ 맨손체조는 심장에서 먼 부위에서 시작하여 점차 심장에 가까운 부위로 옮기면서 실시해야 한다.

☞ 움직임이 간단한 운동에서 복잡한 운동으로, 또한 강도가 약한 운동에서 강한 운동으로 순차적으로 실시해야 운동효과를 크게 볼 수 있다.

☞ 인체의 상하좌우 어느 한쪽에 치우침이 없이 골고루 움직여야 한다.

☞ 운동화를 신고 간편한 복장이어야 한다.

☞ 8 또는 16 박자의 리듬에 맞추어 무리 없이 운동을 해야 한다.

4 달리기

달리기는 특별한 기술이나 장소에 구애를 받지 않는다는 점에서는 걷기와 같지만, 운동량이 대단히 많고 다리에 상해를 입을 위험이 크다는 점이 다르다.

☞ 몸이 지면과 수직을 이루는 자세보다는 5~10도 앞으로 기울인 자세가 좋다.

☞ 갑작스럽게 달리거나 무리하게 달리면 안 된다.

☞ 손·발·어깨는 힘을 빼야 하고, 무릎은 가급적 위로 들어올리는 것이 좋다.
☞ 달리기를 계속하면 몸에 무리가 온다. 걷기와 달리기를 적절히 섞어서 해야 운동을 지속할 수 있다.
☞ 노인이 건강을 위해서 달리기를 할 때에는 20~30분 정도가 적당하고, 주당 4회 정도가 좋다.
☞ 달리기를 오래 동안 해서 달리기마니아가 된 사람을 무리하게 따라가려고 하면 안 된다.
☞ 통증이나 몸에 이상을 느끼면 즉시 달리기를 멈추고 걷거나 서 있어야 한다.
☞ 반드시 정리운동을 해야 한다.
☞ 쿠션이 좋은 운동화와 땀을 잘 흡수하는 운동복을 착용해야 한다.
☞ 손목시계를 착용하여 맥박수와 운동시간을 체크해야 한다.

5 배드민턴

배드민턴은 게임 도구와 장비가 간단하고, 협소한 장소에서도 할 수 있으며, 남녀노소 모두가 즐길 수 있는 경기이다.

배드민턴은 셔틀콕과 라켓이 모두 가벼워서 노인들도 무리없이 할 수 있는 경기이지만 노인에게는 팔꿉관절, 손목관절, 무릎관절, 발목관절 등에 무리가 오기 쉽다는 것도 알아야 한다.

☞ 서비스를 할 때에는 반드시 배꼽 아래에서 해야 한다.
☞ 셔틀콕이 라인 안쪽에 떨어졌는지 밖에 떨어졌는지 시비하지 말고, 가장 가까운 곳에 있던 경기자의 판단을 믿어야 한다.
☞ 약한 상대에게만 계속해서 공을 주는 것은 매너가 좋아 보이지 않는다.
☞ 적절한 옷차림은 필수다. 지나치게 노출이 심하거나 등산화를 신고 코트에 들어가면 안 된다.

6 자전거타기

자전가타기는 하체의 큰 근육을 주로 사용하는 유산소 운동으로, 하체의 근력 및 근지구력 향상과 함께 심폐지구력을 향상시킨다. 비교적 먼 거리를 다양한 코스와 지형을 달리기 때문에 지루하지 않게 운동할 수 있는 장점이 있고, 비체중운동이라 관절에 부담을 주지 않기 때문에 하체 근력이 약한 사람, 관절이 약한 사람, 골다공증인 사람 그리고 비만인 사람들 모두에게 효과적인 운동이다.

☞ 자전거타기는 하체에만 운동이 집중되기 때문에 심폐능력 향상을 위해서는 걷기나 달리기보다 운동 지속시간을 2배 이상으로 늘려야 한다.
☞ 초보자의 경우 여유 심박수의 40~75%의 운동강도로 시작하여 4주간 주 3회의 빈도로 운동을 한다. 체력이 향상되면 60~85%로 운동강도를 높인다.
☞ 운동시간은 초기에는 10~20분으로 하고, 점차 시간을 늘려 30~50분 정도 실시한다.
☞ 자전거타기 전후에는 준비운동과 정리운동을 반드시 실시한다. 자전거타기를 끝낸 후 1시간 이내에 피로가 회복되지 않는다면 다음 번에는 운동의 강도나 지속시간을 낮추어 실시해야 한다.
☞ 내 몸에 맞는 자전거를 타야 하고, 도로를 달릴 때에는 반드시 안전모를 착용해야 한다.
☞ 도로 상에서는 우측통행을 하고, 야간에는 밝은 야광 옷을 입고 전조등과 반사등을 반드시 사용한다.

☞ 내리막길에서 무리하게 속력을 내면 안 되고, 뒷바퀴에 먼저 제동을 가한 뒤 앞바퀴에 제동을 가한다.

7 등산

등산은 심폐지구력을 향상시키고, 만성피로와 심혈관질환의 위험을 낮추고 운동부족을 예방할 수 있다. 자신의 체중은 물론, 각종 장비들의 무게로 인하여 근력운동의 효과를 낼 수 있어 골밀도를 높여주기 때문에 골다공증을 예방하는 데에도 도움이 된다. 노인들에게는 만족감과 자신감을 줄 뿐 아니라, 우울증을 해소하는 등 정신건강에도 도움이 된다.

☞ 등산기술의 기초는 걷기이다. 시간과 장소에 따라 걷는 요령이 다르지만, 피로하지 않게 편안한 자세로 걷는 것이 가장 중요하다.

☞ 처음에는 몸이 적응할 수 있도록 천천히 걷다가 차츰 속도를 내어 걷는다.

☞ 초보자의 경우 약 30분 걷고 5~10분 정도 휴식하되, 가능하면 앉지 말고 서서 쉬는 습관을 갖는 것이 좋다.

☞ 하산 시에는 발목과 무릎에 가해지는 무게가 자기 체중의 3배 이상이나 된다. 그러므로 산을 내려올 때에는 평소보다 무릎을 더 구부린다는 생각으로 탄력 있게 내려와야 하며, 절대 뛰지 말아야 한다.

☞ 산행 중 음주와 흡연은 절대 삼가고, 여벌의 옷을 준비하여 보온에 신경을 쓴다. 가슴이 답답하거나 두통·구토·구역질 등의 증상이 나타나면 바로 중단하고 그 자리에서 휴식을 취한다.

☞ 등산을 마친 후에는 스트레칭이나 가벼운 목욕으로 피로해진 근육을 이완시키고 체온을 높여준다.

필수 및 심화 문제

필수문제

01 노인 운동 프로그램의 구성 요소에 대한 설명으로 옳지 않은 것은?

① 운동강도는 적절한 부하량으로 제공되어야 한다.
② 운동량은 운동시간과 운동유형으로 결정된다.
③ 저항성 운동은 주 2~3회가 적당하다.
④ 질환별 특성을 고려하여 운동시간대를 결정한다.

▪ 운동량은 운동강도와 운동시간으로 결정된다.

심화문제

02 노인의 운동 프로그램 요소에 대한 설명으로 바르지 않은 것은?

① 운동빈도, 운동강도, 운동시간, 운동종류를 고려하여 구성한다.
② 유산소운동은 주 3회 이상을 권장한다.
③ 유연성은 연령이 증가함에 따라 감소하는 경향이 있다.
④ 운동의 빈도를 결정하는 방법으로는 최대산소섭취량, MET 활용법 등이 있다.

▪ 최대산소섭취량, MET수 등은 운동강도를 결정하는 방법이다.

필수문제

03 운동프로그램의 원리 중 '개별성의 원리(individualization principle)'에 대한 설명으로 적절한 것은?

① 훈련자극 및 강도를 지속적으로 증가시켜야 한다.
② 건강정도 및 체력수준을 고려하여 운동형태를 결정해야 한다.
③ 운동의 효과는 운동 중 사용한 특정 근육 및 부위에만 적용된다.
④ 신체의 기능 향상을 위해서는 특정운동 유형에 더 강한 부하를 주어야 한다.

▪ 개별성의 원리 : 개인의 차이와 선호도를 고려한 개별적인 운동 프로그램의 적용 원리

심화문제

04 노인 운동프로그램 구성 시 반드시 고려해야 할 요소가 아닌 것은?

① 운동의 비용 ② 운동의 강도
③ 운동의 빈도 ④ 운동의 종류

▪ 운동비용을 고려할 필요는 있지만 반드시 고려해야 하는 것은 아니다.

정답 01 : ②, 02 : ④, 03 : ②, 04 : ①

필수문제

05 노인의 신체적 작업능력 또는 심폐능력을 향상시킬 목적으로 유산소운동을 하려고 할 때 운동종목의 선택과 운동의 실시방법에 대한 설명이다. 틀린 것은?

① 무릎관절에 가해지는 스트레스가 적고 부상위험이 적은 운동을 선택해야 한다.
② 걷기, 수영, 자전거타기, 댄스, 수중에어로빅(에어로빅은 아님), 골프 등이 좋다.
③ 준비운동과 정리운동을 할 필요가 없다.
④ 본 운동은 최대심박수의 60~80%의 운동강도로 20~30분 한다.

■ 준비운동과 정리운동은 반드시 해야 한다. 준비운동과 정리운동 모두 약 50%의 운동강도로 5~10분 동안 스트레칭을 한다.

심화문제

06 노인에게 유산소성 운동을 지도할 때 고려해야 할 사항으로 옳지 않은 것은?

① 체중부하 운동이 힘든 노인의 경우 고정식 자전거를 활용하도록 한다.
② 운동강도는 운동자각도(RPE) 기준에서 '다소 힘들게' 정도로 설정한다.
③ 운동속도는 초기에 최대한 빠르게 하고 점진적으로 느리게 하는 것이 안전하다.
④ 운동은 한 번에 장시간 지속하는 것보다 휴식과 함께 체력 수준에 따라 실시한다.

■ 유산소운동을 실시할 때는 느리게 시작해서 점진적으로 빠르게 해야 한다.

필수문제

07 노인들에게 유연성 운동이 중요한 이유와 실천 방법에 대한 설명이다. 틀린 것은?

① 연령과 함께 관절의 유연성이 감소되어 가동성도 감소된다.
② 유연성이 감소되면 낙상과 관절손상의 위험이 커진다.
③ 유연성운동으로는 스트레칭이 가장 좋다.
④ 유연성이 향상되면 혈액순환, 자세, 요통완화, 균형감각 등에 부정적인 영향을 미친다.

■ 유연성이 향상되면 혈액순환, 자세, 요통완화 등에 긍정적인 영향을 미친다.

필수문제

08 노인 운동프로그램을 설계할 때 운동강도를 설정하는 방법에 대한 설명이다. 옳지 못한 것은?

① 안전성의 한계와 유효성의 한계 사이에서 운동강도를 설정한다.
② 근력을 향상시키기 위해서는 20~30%MVC의 운동강도가 적당하다.
③ 심박수를 이용해서 운동강도를 결정할 때는 최대심박수를 '220~연령'으로 구한다.
④ 자각적인 판단에 의해서 운동강도를 정할 때에는 운동 시의 느낌을 6~20의 수치로 표시하도록 한다.

■ 근지구력을 향상시키려면 20~30%MVC, 근력을 향상시키려면 60~ 80%MVC의 운동강도가 적당하다.
※MVC : 최대수의석 수축

정답 05 : ③, 06 : ③, 07 : ④, 08 : ②

심화문제

■ 중(간)강도의 규칙적인 운동을 하면 제2형당뇨병을 일으키는 주요인인 인슐린저항성을 감소시킨다.

09 중강도의 규칙적인 운동이 노인의 건강에 미치는 영향으로 적절한 것은?

① 근력의 감소 ② 뇌 혈류량의 감소
③ 인슐린 저항성의 감소 ④ 수면의 질 감소

10 운동강도를 RM(반복횟수)으로 정하는 방법에 대한 설명이다. 틀린 것은?

① 중량 운동을 할 때 단 1회만 들어 올릴 수 있는 무게를 1RM이라고 한다.
② 2RM은 2회 반복해서 들어 올릴 수 있는 무게이므로 1RM의 절반이다.
③ 노인들은 1RM의 65~75%의 무게로 운동을 하는 것이 좋다.
④ 65~75%의 무게는 보통 8~12회 반복해서 들어 올릴 수 있기 때문에 8~12RM이라고도 한다.
⑤ 노인들을 상대로 1RM을 측정하려고 하면 부상의 위험이 크다. 그러므로 공식을 이용해서 1RM을 간접적으로 측정하는 것이 좋다.
⑥ 중량을 바꾸어가면서 여러 번 실험을 해서 10번 반복해서 들어 올릴 수 있는 무게 (W_{10}=10RM)를 알아낸다.
⑦ 1RM=W_{10}×1.25로 계산한다.

■ 일반적으로 2RM은 1RM의 절반보다 무겁다.

11 노인 운동의 운동원리를 잘못 설명한 것은?

① 기능관련성 : 일상생활을 하는 데에 필요한 활동을 이용하여 운동을 한다.
② 수용성 : 자신의 능력에 맞는 운동을 한다.
③ 특정성 : 노인의 특성에 맞는 운동을 선택해야 한다.
④ 운동강도 : 운동강도가 높을수록 체력향상속도가 빠르다.

■ 자신의 체력에 맞는 운동강도로 운동을 해야 한다. 운동강도가 너무 높으면 부상의 위험이 있다.

필수문제

12 보기의 ㉠, ㉡에 들어갈 목표심박수 범위가 바르게 나열된 것은?

보기
· 나이 : 70세 · 성별 :남성
· 안정시 심박수 : 80회/분 · 최대심박수 : 150회/분
· 의사는 심폐지구력 운동 시 목표심박수 40~50% 강도를 권고
· 카보넨(Karvonen) 공식을 활용한 목표심박수의 범위는 (㉠)%HRR에서 (㉡)%HRR이다.

	㉠	㉡		㉠	㉡
①	108	115	②	115	122
③	122	129	④	129	136

■ 목표심박수=운동강도×(220−나이−안정시심박수)+안정시심박수
※ 220−나이=최대심박수
목표심박수=0.4×(150−80)+80=108… 40% 강도일 때
목표심박수=0.5×(150−80)+80=115… 50% 강도일 때

정답 09 : ③, 10 : ②, 11 : ④, 12 : ①

심화문제

13 보기의 ㉠, ㉡에 들어갈 심박수(회/분)는?

> 보기
> 70세 남성 노인이 달리기 운동을 할 때, Karyonen (여유심박수, KERR) 공식을 활용한 목표심박수의 범위는 (㉠)에서부터(㉡)까지 이다.
> [분당 안정시심박수 70회, 여유심박수 60~70% 강도]

	㉠	㉡		㉠	㉡
①	90	105	②	112	119
③	118	126	④	124	138

■ 목표심박수=운동강도×(최대심박수−안정시심박수)+안정시심박수
※최대심박수=220−나이=220−70=140
■ 목표심박수=0.6(150−70)+70=118…60%의 강도일 때
■ 목표심박수=0.7(150−70)+70=126…70%의 강도일 때

14 노인 운동 지도 시 운동강도에 대한 설명으로 가장 옳은 것은?

① 저강도 운동에서 시작하여 점차적으로 운동강도를 높이는 것이 좋다.
② 반드시 최대 산소섭취량의 50% 이상의 운동강도를 유지한다.
③ 개인차를 고려하지 말고 연령을 기준으로 운동강도를 정한다.
④ 어떤 목적으로 운동을 하든 상관없이 2~3METs의 운동강도가 무난하다.

15 노인들의 운동을 위해서 운동강도를 설정하는 방법 중에서 가장 옳은 것은?

① 운동부하검사를 통해서
② 예측 최대심박수를 이용해서
③ 자각적 운동강도를 이용해서
④ 개개인의 체력수준과 건강상태를 고려해서

■ 운동부하검사는 정확하지만 실시하기 어렵고, 예측심박수는 부정확하여 심장혈관계통 질환자의 경우에는 위험하다.

16 건강한 노인들의 근지구력을 향상시키기 위해서는 어느 것이 좋은가?

	운동강도(1RM의)	반복횟수(세트당)
①	50~60%	6~8회
②	60~70%	6~8회
③	70~80%	8~12회
④	80~90%	8~12회

■ 운동강도가 너무 높으면 안 되고, 반복횟수가 많아야 근지구력이 향상된다.

정답 13 : ③, 14 : ①, 15 : ④, 16 : ③

■스스로 느끼는 운동강도를 운동자각도라고 한다.

필수문제

17 노인이 자신의 주관적인 느낌을 통해 운동강도를 설정할 수 있는 방법은?

① 운동자각도(Ratings of Perceived Exertion : RPE)
② 최대산소섭취량(Maximal Oxygen Consump-tion : VO_2max)
③ 분당 호흡빈도(Frequency of Breath)
④ 대사당량(Metabolic Equivalent of Task : MET)

필수문제

18 운동강도를 MET(대사당량)로 정하는 방법에 대한 설명이다. 틀린 것은?

① 앉아서 편안하게 휴식을 취하고 있을 때 체중 1kg당 1분 동안에 소모하는 열량을 1MET라고 한다.
② 1MET는 사람마다 차이가 있지만 평균 약 1kcal이고, 1kcal를 산소소비량으로 환산하면 3.5ml이다,
③ 운동이나 생활 활동의 운동강도를 MET로 나타내면 편안히 쉴 때보다 몇 배의 에너지를 소모하는 운동이라는 뜻이 되므로 편리하다.
④ 1~2.9METs는 저강도 운동, 3~5.9METs는 중간강도 운동, 6METs 이상이면 고강도 운동으로 분류한다.
⑤ 'MET수×체중(kg)×운동시간(분)'은 그 사람이 그 운동을 하면서 사용한 에너지의 총량을 나타낸다.
⑥ 예를 들어 3METs×50kg×20분=3,000kcal 또는 3,000×3.5=10,500ml의 산소를 소비하는 운동이다.
⑦ MET 수로 운동강도를 정하는 것보다는 최대 산소소비량으로 운동강도를 정하는 것이 훨씬 편리하다.

■최대산소소비량으로 운동강도를 정하려면 절차가 복잡하고 부상의 위험이 따른다.

필수문제

19 노인 운동프로그램을 설계할 때 운동빈도를 정하는 방법에 대한 설명이다. 옳지 않은 것은?

① 유산소운동은 주당 3~5회, 근력운동은 주당 3회 실시한다.
② 운동 빈도와 함께 회복(휴식)시간도 정한다. 휴식시간이 너무 짧으면 과훈련, 너무 길면 운동 중지의 부작용이 생긴다.
③ 유연성운동은 스트레칭으로, 동작마다 10~30초 동안 자세를 유지하고, 3~4회 반복, 주당 2~3회 실시한다.
④ 운동시작 시의 체력수준은 고려할 필요가 없다.

■운동강도를 설정할 때에는 운동시작 전의 체력수준을 알아야 한다.

정답 17 : ①, 18 : ⑦, 19 : ④

심화문제

20 노인에게 적절한 운동빈도를 설명한 것 중 옳지 못한 내용은?

① 운동빈도는 최대로 높인다.
② 근력 운동은 주당 2회 이상 실시한다.
③ 유연성 운동은 주당 2~3회 이상 실시한다.
④ 운동 시작 시의 체력수준에 따라서 운동빈도를 조절한다.

■ 운동빈도를 최대로 높여서는 안 된다(p. 41 참조).

21 노인을 위한 운동으로 적절치 못한 것은?

① 근력 강화 운동
② 호흡 순환 능력 향상을 위한 운동
③ 관절의 가동 범위를 늘리기 위한 운동
④ 순발력 향상을 위한 운동

■ 노인이 순발력 향상 운동을 하면 부상당할 가능성이 높다.

22 노인에게 아쿠아로빅스와 같은 수중운동을 실시할 때 유의 사항으로 적절하지 않은 것은?

① 폐질환, 요도감염, 심부전증이 있는 사람에게 도움이 된다.
② 충분한 준비운동을 한 후 물속에 들어간다.
③ 근력이 부족한 노인은 물속 걷기가 적합하다.
④ 입수 및 퇴수를 용이하게 하고 안전에 만전을 기한다.

■ 폐(허파)질환, 요도감염, 심부전증이 있는 노인은 수중운동을 시키면 안 된다.

필수문제

23 노인들이 운동에 참여하도록 동기를 유발시키는 방법 중에 가장 효과적인 것이 목표를 설정하고 그것을 달성하려고 노력하는 것이다. 목표설정 시 주의해야 할 점이 아닌 것은?

① 목표달성 여부를 판단할 수 있어야 한다(측정 가능성).
② 운동시간, 빈도, 강도 등을 구체적으로 명시해야 한다(구체성).
③ 노인들이 달성 가능한 목표이어야 한다(현실성).
④ 행동 지향적이기보다는 결과 지향적인 목표여야 한다.

■ 결과 지향적으로 목표를 설정하면 잘하는 사람은 놀고, 못하는 사람은 포기해 버린다.

정답 20 : ①, 21 : ④, 22 : ①, 23 : ④

심화문제

24 노인들이 건강운동에 참여하여 운동을 생활화할 수 있도록 동기를 유발시키는 전략으로 보기 어려운 것은?

■ 결석해도 내버려 두면 운동을 중지할 가능성이 높다. 출석 체크를 해서 노인들에게 소속감을 갖도록 해야 한다.

① 결석한 노인은 내버려둔다.
② 집단운동 프로그램에 참여시킨다.
③ 참가자들이 서로 마주보면서 운동을 하도록 한다.
④ 운동규칙을 만들고, 서로 네트워크를 형성하도록 유도한다.

25 노인이 운동을 하도록 동기를 유발시킬 수 있는 요소가 아닌 것은?

① 건강증진 및 질병위험 감소
② 스트레스 해소 등 정신적 건강
③ 가족이나 친구와 함께 운동하는 등 사회참여
④ 신체적 우월성 과시

■ 노인들의 신체적 우월성 과시는 부질 없는 행동으로 볼 수 있다.

■ **동기유발 요인**
· 스트레스 해소 및 정신건강 향상
· 가족이나 친구와 함께 운동하는 경험으로 사회 참여
· 외모 유지와 체중관리
· 체력수준에 맞는 운동목표 설정
· 쉽게 갈 수 있는 운동시설

필수문제

26 노인의 지속적인 운동참여를 위한 동기유발 방법으로 적절하지 않은 것은?

① 운동 시설에 대한 접근성을 높인다.
② 동료의 성공적 인 경험을 공유하게 한다.
③ 모험적인 목표를 세워 동기를 유발한다.
④ 체력 수준에 맞게 운동 목표를 구체적으로 설정한다.

심화문제

27 보기에 해당하는 대상자의 운동참여 동기유발을 위한 노인스포츠지도사의 상담 내용으로 적절하지 않은 것은?

보기
» 68세 어르신은 체중조절과 건강관리를 위한 운동에 관심이 있다. » 운동 참여 경험은 없지만, 지속적으로 운동에 참여하고 싶다.

① 가족 · 친구들과 함께 운동하며, 사회적 교류 기회가 확대됨을 설명한다.
② 스트레스 해소와 활력감 증진에 도움이 됨을 설명한다.
③ 건강 및 체중 관리에 도움이 됨을 설명한다.
④ 질병치료에 대한 기대감을 갖도록 설명한다.

■ 보기의 노인은 체중조절, 건강관리 및 지속적인 운동을 원하는데, 질병치료에 대한 기대감을 갖게 해서는 안 된다.

정답 24 : ①, 25 : ④, 26 : ③, 27 : ④

심화문제

28 노인 운동참여자들의 목표설정에 대한 설명으로 바르지 않은 것은?

① 측정 가능함 : 참여자는 목표가 달성되었는지를 판단할 수 있어야 함.
② 구체적임 : 참여자가 운동하는 목표를 구체적으로 명시해야 함.
③ 현실적임 : 참여자 스스로가 달성할 수 있다고 확신하는 목표를 통해 자아효능감을 높여야 함.
④ 행동적임 : 참여자는 행동 지향적 목표보다는 결과 지향적 목표를 통해 자아효능감을 높여야 함.

■행동지향적 목표를 설정해야 한다.

필수문제

29 행동변화의 단계별 특성을 건강운동에 비추어 설명한 것이다. 틀린 것은?

① 고려전단계(계획이전단계) : 건강운동을 시작하려는 의도가 없거나 운동의 중요성을 느끼지 못한다.
② 고려단계(계획단계) : 앞으로 6개월 이내에 건강운동을 시작하려는 의도가 없는 사람이다.
③ 준비단계 : 건강운동을 시작할 준비가 되어 있고, 운동이 삶의 중요한 부분을 차지할 것이라고 믿으며, 구체적인 운동계획을 주위사람들에게 이야기한다.
④ 행동단계 : 자신의 행동 중에서 건강하지 못한 행동을 건강한 운동으로 대체하려고 노력한다. 건강운동을 하지 않는 사람과의 만남을 회피한다.

■고려단계에 있는 사람은 앞으로 6개월 이내에 운동을 시작할 의도가 있는 사람이다. 건강운동의 이점과 단점이 비슷하다고 생각하는 경향이 있다.

심화문제

30 운동 참여를 위한 동기 유발 전략으로 인지유도 전략을 사용해야 하는 단계는?

① 계획단계　② 준비단계
③ 행동단계　④ 유지단계

■말로 설명하거나 책을 보아서 스스로 깨닫게 하는 것을 인지유도 전략이라고 한다.

정답 28 : ④, 29 : ②, 30 : ①

필수문제

31 보기에서 설명하는 행동변화이론으로 가장 적절한 것은?

> 보기
> 65세인 조 할머니는 요즘 살이 계속 찌고 움직이는 것도 점점 힘들어졌다. 가족과 친구들이 운동을 권유하였으나 완강하게 거부하며 운동을 하지 않았다. 그러나 최근 병원에서 당뇨병 판정을 받고 의사의 운동 권유로 운동에 대한 믿음과 의지가 생겨서 구체적인 운동 목표를 세우고 헬스센터장에서 운동을 시작하였다.

① 지속성 이론　　② 계획된 행동 이론
③ 사회생태 이론　　④ 자기효능감 이론

■ 계획된 행동 이론의 모형

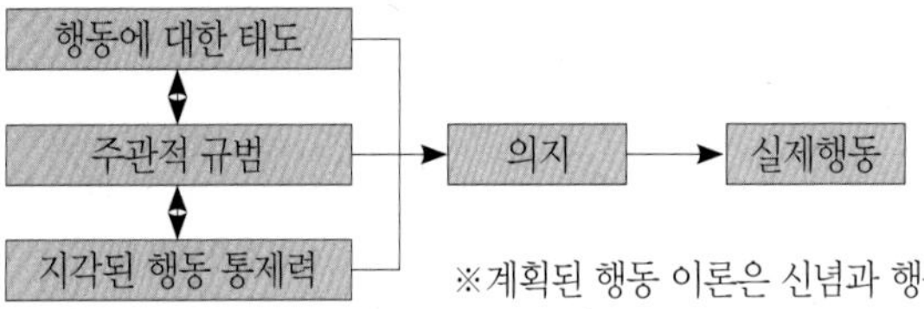

※계획된 행동 이론은 신념과 행동 사이의 관계에 대한 이론이다.

심화문제

32 보기가 설명하는 행동변화이론 및 모형은?

> 보기
> » 행동이 변화되는 과정과 전략을 제시한다.
> » 개개인의 행동변화를 고려 전, 고려, 준비, 행동, 유지의 5단계로 구분한다
> » 목표설정, 피드백, 보상시스템과 같은 행동전략들이 신체활동 참여를 유지하는 데 도움이 된다.

① 건강신념 모형　　② 범이론적 모형
③ 사회인지 이론　　④ 계획된 행동 이론

■ 사람들이 행동변화를 가져오려면 연속적인 단계를 거쳐야 한다는 이론을 **행동변화단계이론**이라 한다. 행동변화단계별로 중재전략을 제시한 것을 행동변화를 통합적으로 설명한다고 해서 **범이론적 모델**이라고 한다.

정답 31 : ②, 32 : ②

필수문제

33 건강신념모형에서 건강신념행동을 구성하는 요소로 옳지 않은 것은?

① 지각된 장애　　② 지각된 이익
③ 지각된 심각성　　④ 지각된 자기 인식

■건강신념모형의 4가지 모형
· 지각된 취약성
· 지각된 장애(①)
· 지각된 이익(②)
· 지각된 심각성(③)

필수문제

34 인간의 행동변화를 유도하는 이론들이 많지만, 그 이론들을 한데 모아서 정리한 것이 범 이론적 행동모형이다. 범 이론적 행동모형에서는 인간의 행동변화를 5가지 단계로 나누어 설명한다. 보기에 있는 행동변화 5단계 중 (　　　) 안에 들어가야 할 단계는?

보기
고려 전 단계 – 고려단계 – (　　　) – 행동단계 – 유지단계

① 숙고단계　　② 연습단계
③ 준비단계　　④ 예행단계

■프로차스카의 범이론적 모형
무관심(고려 전)단계→관심(고려)단계→준비단계→실천(행동)단계→유지단계

심화문제

35 보기에 해당하는 프로차스카(J. Prochaska)의 범이론적 모형 단계와 지도 내용을 바르게 나열한 것은?

보기
운동을 하지 않았던 김 할아버지는 당뇨병 진단을 받은 후 지난 한 해 동안 매일 만보계를 가지고 중강도의 걷기 운동을 하고 있다.

	단계(stage)	지도내용
①	무의식(precontemplation)	운동이 당뇨에 미치는 효과를 지도
②	유지(maintenance)	즐길 수 있는 스포츠를 경험하도록 지도
③	의식(contemplation)	운동 방법 및 만보계 사용법을 지도
④	행동(action)	운동강도 조절에 관하여 지도

■프로차스카(J. Prochaska)의 범이론적 모형(pp. 43) 참조.

정답　33 : ④, 34 : ③, 35 : ②

필수문제

36 2010년 세계보건기구(WHO)가 제시한 65세 이상의 노인을 위한 신체활동 권장 지침의 내용으로 옳지 않은 것은?

① 매주 저강도 유산소 신체활동을 60분 이상 실시한다.
② 주요 근육을 포함하는 근력강화활동을 주 2회 이상 실시한다.
③ 1회 유산소 신체활동은 적어도 10분 이상 실시한다.
④ 이동성이 떨어지는 노인은 낙상예방을 위한 신체활동을 주 2회 이상 실시한다.

■ WHO의 6세 이상 노인의 신체활동 권장지침

65세 이상의 노인에게 신체활동은 여가시간을 활용한 운동, 걷기나 사이클처럼 이동하면서 하는 활동, (현직 종사자의 경우) 직장일, 집안일, 놀이, 게임, 스포츠 또는 계획된 운동 등이 포함된다.
심폐체력 및 근력, 뼈와 기능성 건강을 개선하고, 전염성 질환, 우울증 및 인지저하 위험을 감소시키기 위하여 다음과 같이 권장한다.

· 65세 이상의 노인은 일주일에 적어도 총 150분 이상의 중간강도 유산소 활동 또는 일주일에 적어도 75분 이상의 격렬한 유산소 활동을 하거나 아니면 동등량의 중간강도 내지 격렬한 활동을 함께 실시한다.
· 유산소활동은 적어도 10분 이상 지속되도록 실시한다.
· 건강 유익을 더하기 위해 성인은 중간강도의 유산소활동을 일주일에 300분, 또는 격렬한 활동을 일주일에 150분으로 늘리거나, 동등량의 중간강도 내지 격렬한 활동을 섞어서 해야 한다.
· 기동성이 낮은 이 연령대의 노인은 균형감각을 강화하고 낙상을 방지하는 신체활동을 1주일에 3일 이상 해야 한다.
· 근육 강화 활동은 주요 근육을 포함하여 일주일에 2일 이상 해야 한다.
· 이 연령그룹의 노인이 건강상태로 인해 권장량만큼의 신체활동을 할 수 없는 경우에는 자기 컨디션에 맞게 신체활동을 실시해야 한다.

필수문제

37 미국스포츠의학회(ACSM)가 제시한 노인을 대상으로 한 운동부하검사의 고려사항으로 옳지 않은 것은?

① 시력 손상, 보행 실조, 발의 문제가 있는 경우 자전거 에르고미터 검사를 실시한다.
② 트레드밀 부하는 경사도보다는 속도를 증가시킨다.
③ 균형감과 근력이 낮고, 신경근 협응력이 저조하여 검사의 두려움이 있다면 트레드밀의 양측 손잡이를 잡고 검사를 실시한다.
④ 낮은 체력을 가진 노인은 초기 부하가 낮고(3 METs 이하), 부하 증가량도 작은(0.5~1.0 METs) 노턴(Naughton) 트레드밀 프로토콜을 이용한다.

■ 노인에게 운동부하검사를 실시할 때의 고려사항(ACSM 제6판)

· 체력이 약한 노인은 초기 부하를 낮은 수준(2~3Mets)에서 시작하고, 부하증가량은 작은(0.5~1.0Mets) 노턴(Naughton) 프로토콜을 이용한다.
· 균형감각, 근골격계의 조정력 약화, 시력장애, 노인성 보행패턴, 체중부하 제한, 발 등에 문제가 있을 때에는 트레드밀보다 자전거에르고메터가 좋다.
· 균형감각 감소, 근력 감소, 신경근 조정능력 빈약, 공포 등이 있으면 트레드밀 양쪽의 손잡이를 잡는다.
· 트레드밀의 속도는 보행능력에 따라 조정할 수도 있다.
· 운동유발성 부정맥이 다른 나이군보다 더 자주 발생한다.

정답 36 : ①, 37 : ②

심화문제

38 미국스포츠의학회(ACSM, 2018)에서 제시한 노인을 위한 운동 권장 사항으로 적절한 것은?

① 유연성 향상을 위해 정적스트레칭을 60~90초 동안 유지한다.
② 저항운동은 체력수준을 고려하지 않고 실시한다.
③ 저항운동을 처음 시작할 경우 1 RM의 40~50%로 실시한다.
④ 중강도 유산소운동을 처음 시작할 경우 주당 총 300~450분을 실시한다.

39 ACSM(American College of Sports Medicine)에서 제시한 노인의 신체활동 권고 지침으로 가장 적절한 것은?

① 운동자각도 7~8수준(10점 척도기준)의 중강도 유산소운동을 한다.
② 근육의 긴장감이 느껴지는 정도의 정적 스트레칭을 한다.
③ 한 번에 최소 30분 이상의 중강도 유산소운동을 한다.
④ 빠른 움직임의 동적 스트레칭을 한다.

■① 운동 자각도 7~8이면 고강도 운동이다.
■③ 노인을 위한 유산소운동은 옆사람과 의사소통을 할 수 있을 정도로 낮은 강도의 운동이어야 한다. 3~5분씩 3회로 시작해서 10분씩 3회로 늘린다.
■④ 스트레칭은 정적인 것이어야 한다. 동적 스트레칭은 부상의 염려가 크다.

40 미국스포츠의학회(ACSM, 2018)에서 제시한 노인의 중강도 신체활동으로 적절하지 않은 것은?

① 3.0 mi/h(4.83 km/h)의 속도로 걷기
② 청소, 창 닦기, 세차, 페인팅 등의 가사 활동
③ 보그 스케일 (Borg Scale)의 운동자각도(RPE)에서 12~13 수준의 신체활동
④ 축구, 농구, 배구와 같은 경쟁 스포츠

■축구, 농구, 배구 등의 경쟁스포츠는 고강도 운동으로 운동자각도 15~20에 해당된다.

41 노인의 신체활동지침에 대한 설명으로 가장 바르지 않은 것은?

① 하루 30분, 주 3일 이상의 신체활동 참가를 권장한다.
② 근력운동이 근골격계 질환의 발생을 감소시킨다.
③ 낙상의 위험이 있는 노인에게는 심폐지구력을 향상시키는 운동을 추천한다.
④ 질환이 있는 노인은 의학적 상황에 따라 운동의 강도와 빈도를 적절하게 조절한다.

■낙상위험이 있는 노인은 근력을 길러야 한다.

정답 38 : ③, 39 : ②, 40 : ④, 41 : ③

필수문제

42 미국스포츠의학회(ACSM)가 제시한 노인 신체활동 프로그램으로 옳지 않은 것은?

① 고강도로 주 3일 이상 또는 중강도로 주 5일 이상의 유산소운동
② 체중부하 유연체조와 계단 오르기를 제외한 근력강화 운동
③ 근육의 긴장과 약간의 불편감이 느껴질 정도의 유연성 운동
④ 저 · 중강도로 주 2회 이상의 대근육군을 이용한 저항운동

■ 미국스포츠의학회(ACSM : 2018)의 노인 신체활동 프로그램

운동	운동빈도	운동강도	운동시간	유형
유산소 운동	최소한 고강도로 주3일 또는 중간강도로 주 5일	RPE 10점인 기구상 · 중간강도 : 5~6 고강도 : 7~8	최소 30~60분, 10분씩 간헐적 가능	골격계통에 낮은 스트레스를 주는 활동
저항운동	최소 주 2회	RPE 10점인 기구상 · 중간강도 : 5~6 고강도 : 7~8	8~10개 운동 각 10~15회 반복	주근육을 사용하는 운동으로 계단오르기 등
스트레칭	최소 주 2회	중간강도 : 5~6		각 주근육군의 지속적인 정적 스트레칭

■ 중간강도 활동 : 1주에 총 150~300분, 고강도인 활동은 주당 총 75~100분
■ 만성적 건강문제를 가진 노인 : 최소한의 활동량 초과하는 활동만으로 효과적
■ 낙상 위험성이 있는 노인 : 평형성 운동
■ RPE(rating of perceived exertion, 자각적 운동강도)

심화문제

43 보기에서 미국스포츠의학회(ACSM, 2018)의 노인을 위한 유산소운동 지침으로 옳은 것만을 모두 고른 것은?

보기

㉠	운동 빈도(F)	» 중강도 시 5일/주 » 고강도 시 3일/주
㉡	운동 강도(I)	» 중강도 시 5~6(RPE 10점 만점 도구 기준) » 고강도 시 7~8(RPE 10점 만점 도구 기준)
㉢	운동 시간(T)	» 중강도 시 150분~ 300분/주 » 고강도 시 75분~ 100분/주
㉣	운동 형태(T)	» 앉았다 일어서기(스쿼트), 스트레칭

① ㉠, ㉡, ㉢
② ㉠, ㉡, ㉣
③ ㉠, ㉢, ㉣
④ ㉡, ㉢, ㉣

■ ㉣의 앉았다 일어서기는 저항성운동이고, 스트레칭은 유연성운동이다.

정답 42 : ②, 43 : ①

44 노인의 운동프로그램에 대한 설명으로 옳은 것은?

① 심혈관질환자에게는 지속적인 등척성 운동이 효과적이다.
② 협심증이나 부정맥 환자의 가슴통증이 있는 경우 중강도 이상의 점진적 유산소운동이 가능하다.
③ 점진적 유산소운동프로그램 참여 전 낙상, 무릎통증 등을 예방하기 위해 근력운동을 먼저 한다.
④ 건강한 노인은 고강도 운동을 실시할 수 없다.

■ 심혈관질환자에게는 격렬한 운동이나 등척성 운동은 좋지 않다.
■ 가슴통증이 있을 때에는 저강도 이상의 점진적 유산소운동을 먼저 한다.
■ 개인별 수준에 맞춰 고강도 운동을 실시할 수 있다.

45 다음 중 미국스포츠의학회(ACSM)에서 제시한 노인체육의 중요성이 아닌 것은?

① 규칙적인 신체활동은 노인의 신체기능과 건강을 향상시킨다.
② 독립성과 삶의 질을 향상시킨다.
③ 건강한 노화와 관련된 많은 효과를 얻을 수 있다.
④ 건강한 시민정신을 함양할 수 있다.

■ 노인은 사회경험이 풍부한 사람들이다.

46 노인의 운동부하검사에 대한 설명으로 옳지 않은 것은?

① 고혈압이 있는 고령자는 안전을 위하여 베타차단제를 복용한 후에 검사한다.
② 운동 중 심박수와 혈압을 주기적으로 확인한다.
③ 검사 장비로 트레드밀 보다는 자전거 에르고미터가 권장된다.
④ 운동부하는 저강도부터 서서히 증가시킨다.

■ 베타차단제는 금지 약물이다.

47 보기에서 설명하는 노인의 신체적 수준은?

> 보기
> 자기 동기부여가 강하고, 자발적이고 규칙적인 운동참여를 통해 운동의 중요성을 인식한다.

① 신체적 결핍 수준　② 신체적 허약 수준
③ 신체적 건강 수준　④ 신체적 엘리트 수준

필수문제

48 노인 운동프로그램에서 주 운동을 실시할 때 주의할 점으로 옳지 않은 것은?

① 격렬한 경쟁은 가능한 한 피한다.
② 운동 시 갈증을 느끼지 못하더라도 수시로 수분을 보충한다.
③ 근력 운동 중 중량을 들어올릴 때 숨을 들이마신다.
④ 동기부여와 재미를 고려한 프로그램을 실시한다.

■ 중량을 들어올릴 때에는 숨을 멈추어야 한다.

정답 44 : ③, 45 : ④, 46 : ①, 47 : ③, 48 : ③

심화문제

49 노인들의 운동 지도 시 지도자가 반드시 체크해야 할 사항이 아닌 것은?

① 낙상사고의 위험 ② 참가자의 몸 상태
③ 참가자의 욕구, 장비 및 시설 ④ 참가자의 가족관계

■ 낙상위험노인에게는 저강도운동을 실시하여 숙달시킨 다음에 고강도운동을 실시해야 한다.

50 낙상 위험 노인을 위한 일반적인 운동지침으로 적절하지 않은 것은?

① 사회적 지원, 자기효능감과 같은 행동전략을 활용한다.
② 발끝서기와 같은 자세유지 근육운동을 권장한다.
③ 고강도 운동에서 저강도 운동으로 진행한다.
④ 신경근운동과 함께 평형성 운동도 권장한다.

■ 준비운동의 효과
· 근육 · 골격계통 손상과 근육통 예방
· 심폐계를 자극하여 운동하는 작업근육으로의 혈류 증가와 근육온도 상승
· 근육의 탄력성 · 신전성 등의 증가
· 대사율과 체내온도 상승

■ 정리운동의 효과
· 긴장된 근육 이완
· 호흡 · 체온 · 심박수 등을 활동 전의 수준으로 돌려줌
· 혈중젖산농도 저하

필수문제

51 노인을 위한 준비 및 정리운동의 생리적 효과에 관한 설명으로 옳지 않은 것은?

① 준비운동은 혈중산소포화도를 증가시켜 근육의 산소 이용률을 증가시킨다.
② 준비운동은 폐 혈류의 저항을 증가시켜 폐의 혈액 순환을 향상시킨다.
③ 정리운동은 호흡, 체온, 심박수를 활동 전 수준으로 되돌리는데 도움을 준다.
④ 정리운동은 혈중젖산농도를 낮추는데 도움을 준다.

■ 노인운동프로그램 설계방법
· 목표달성이 가능하도록 설정
· 운동형태, 시간, 강도, 빈도 등을 구체적으로 설정
· 개인이 달성할 수 있는 수준의 현실적 목표 설정
· 직접 실행에 옮길 수 있는 수준으로 행동지향적 목표 설정

필수문제

52 노인의 운동참여 시 목표설정 방법으로 적절하지 않은 것은?

① 구체적인 목표를 설정한다.
② 측정 가능한 목표를 설정한다.
③ 도전성이 높은 목표를 설정한다.
④ 성취 가능성을 고려해서 목표를 설정한다.

■ 단기적 목표와 장기적 목표로 나누어서 설정해야 한다. 그리고 목표는 구체적으로, 측정 가능한 것으로, 이룰 수 있는 것을, 적절한 것을 합리적인 방법으로, 시간 또는 기간을 정해서 설정한다.

심화문제

53 노인의 지속적인 운동참여를 위한 목표설정 방법으로 옳지 않은 것은?

① 목표는 시간과 기간에 근거를 두어야 한다.
② 목표설정은 단기와 장기 목표로 구분한다.
③ 목표는 달성하기 어려운 것으로 설정한다.
④ 목표는 노인의 신체능력에 맞게 구체적으로 설정한다.

정답 49 : ④, 50 : ③, 51 : ②, 52 : ③, 53 : ③

필수문제

54 노인의 근력, 근지구력, 골밀도, 대사율 등을 향상시킬 목적으로 저항운동을 하려고 할 때 권고사항 중 틀린 것은?

① 근력을 향상시키기 위한 운동강도는 근지구력을 향상시키기 위한 운동강도보다 더 낮게 정해야 한다.
② 밴드 운동, 중량 운동, 요가, 체조 등이 좋다.
③ 8~12회 이상 반복해야 하고, 정확한 동작으로 실시해야 한다.
④ 저항운동과 다음 저항운동 사이에는 적어도 48시간의 휴식이 있어야 한다.

■ 근력향상을 위해서는 근지구력 향상보다 운동강도를 높게 설정해야 한다.

필수문제

55 노인들의 운동참가 동기를 유발시키기 위해서 지도자가 해야 할 일이 아닌 것은?

① 참가자들의 체력의 차이를 파악하기
② 참가자들의 이름 외우기
③ 청년기의 이상적인 몸매를 자주 묘사하여 운동 욕구를 자극하기
④ 출석 부르기

■ 노인들은 운동을 해도 폼나는 몸매가 되기 어렵다.

심화문제

56 노인의 심폐지구력 향상에 알맞은 운동으로만 짝지어진 것은?

① 걷기 — 수영 — 자전거타기
② 수영 — 밴드 운동 — 걷기
③ 테니스 — 요가 — 댄스
④ 수중에어로빅 — 수영 — 중량 운동

■ 심폐지구력을 향상시키려면 유산소운동을 해야 한다. 그런데 밴드 운동, 요가, 중량 운동은 유산소운동이 아니다.

57 노인의 낙상 요인 중에서 성격이 전혀 다른 것은?

① 약물복용
② 반응시간
③ 안뜰(전정)감각
④ 근력

■ 약물복용은 낙상의 외적 요인이고, 나머지는 모두 내적 요인이다.

58 노인의 낙상 방지를 위한 자세 안정성 확보 방법으로 옳은 것은?

① 기저면을 좁게 하고, 무게중심을 낮춘다.
② 기저면을 좁게 하고, 무게중심을 높인다.
③ 기저면을 넓게 하고, 무게중심을 높인다.
④ 기저면을 넓게 하고, 무게중심을 낮춘다.

■ 기저면의 면적이 넓고, 무게중심의 높이가 낮을수록 안정성이 높다는 것이 안정성의 원리이다. 낙상위험이 있는 노인은 근력을 향상시켜야 한다.

정답 54 : ①, 55 : ③, 56 : ①, 57 : ①, 58 : ④

■ 노인 걷기의 특성
· 노인이 되면 보폭수(발걸음수)는 증가함.
· 노인이 되면 양발지지기의 비율이 증가함.
· 노인이 되면 안정적으로 걷기 위해 신경을 쓰게 됨.
· 노인이 되면 보폭은 줄고 활보장은 감소함.

필수문제

59 노인의 걷기 특성으로 옳지 않은 것은?

① 분당 보폭수(cadence)의 증가
② 보행주기 중 양발 지지기(double support time) 비율의 증가
③ 안정된 걷기를 위한 의식적 관여의 증가
④ 보폭(step length)의 증가와 활보장(stride length)의 감소

심화문제

60 노인의 바른 걷기동작에 대한 설명으로 옳은 것은?

① 양팔은 가능한 한 흔들지 않는다.
② 착지는 앞꿈치부터 한다.
③ 시선은 정면을 주시하되 좌우를 살펴야 한다.
④ 안전을 위해서 발끝을 보고 걷는다.

필수문제

61 보기는 노인의 유연성 운동형태에 대한 설명이다. ㉠, ㉡에 들어갈 용어를 바르게 나열한 것은?

보기
» (㉠) : 해당 근육군(muscle group)과 건(tendon)에 등척성 수축을 일으킨 후, 같은 근육군을 정적으로 스트레칭하는 방법
» (㉡) : 하나의 신체 부위에서 다른 신체 부위로 자세를 반복적으로 바꾸어 관절가동범위를 점진적으로 증가시키는 방법

	㉠	㉡
①	탄성 스트레칭 (bouncing stretching)	동적 스트레칭 (dynamic stretching)
②	고유수용성 신경근촉진 (proprioceptive neuromuscular facilitation)	정적 스트레칭 (static stretching)
③	탄성 스트레칭 (bouncing stretching)	정적 스트레칭 (static stretching)
④	고유수용성 신경근촉진 (proprioceptive neuromuscular facilitation)	동적 스트레칭 (dynamic stretching)

■ **고유수용성 신경근촉진** : 근육과 건에 있는 근방추와 골지건기관의 기능을 활용하여 근육을 이완·수축시키는 스트레칭
■ **동적 스트레칭** : 관절을 움직여 근육을 풀어주는 스트레칭
■ **탄성 스트레칭** : 탄성을 이용하여 동작에 반동을 주는 스트레칭
■ **정적 스트레칭** : 관절이 정지된 상태에서 천천히 근육을 늘려 신전을 유지하는 스트레칭

정답 59 : ④, 60 : ③, 61 : ④

심화문제

62 노인을 위한 스트레칭에 관한 설명으로 적절한 것은?

① 탄성 스트레칭을 우선적으로 권장한다.
① 스트레칭은 관절의 가동범위와 관련이 없다.
③ 고유수용성 신경근 촉진법은 효과가 없어 사용하지 않는다.
④ 정적 스트레칭은 동적 스트레칭에 비해 상해 위험이 적다.

■ 노인들은 상해위험이 적은 정적 스트레칭이 좋다.

63 노인의 근골격계 손상 위험이 낮은 스트레칭으로 가장 적절한 것은?

① 탄성 스트레칭(ballistic stretching)
② 정적 스트레칭(static stretching)
③ 동적 스트레칭(dynamic stretching)
④ 압박 스트레칭(compressive stretching)

■ 정적 스트레칭이 근골격계 손상위험이 가장 적다.

필수문제

64 노인을 위한 수중운동 지도방법으로 옳지 않은 것은?

① 안전을 위해 처음 몇 회는 물속에서 자세를 취하는 방법을 가르친다.
② 물에 저항하여 움직이도록 지도하여 에너지 소비를 증가시킨다.
③ 관절염을 앓고 있는 노인은 아픈 관절이 물에 잠기게 한다.
④ 물이 몸통 근육의 역할을 하도록 직립자세로 서서 운동하게 한다.

■ 수중운동을 직립자세를 해서는 안 된다.

정답 62 : ④, 63 : ②, 64 : ④

04 Chapter 질환별 운동프로그램 설계

호흡 · 순환계통 질환의 운동프로그램

1 심혈관계통 질환의 기전

심장과 주요 동맥에 발생하는 질환을 심혈관계통 질환이라고 한다.

심장병은 대부분 수술이나 약물요법으로 치료하거나 병증을 순화시키고, 운동요법의 도움을 받으려면 반드시 의사와 협의해야 한다. 혈관계통 질환은 주요 동맥에 혈액이 흐르는 것을 어떤 형태로든 방해하는 병으로 죽상경화증(동맥경화증)이 대표적인 질병이다.

혈관의 가장 안쪽 막인 혈관내막에 콜레스테롤이 침착하고 세포가 비정상적으로 증식이 되어서 속이 물컹물컹한 죽 모양의 액체로 채워진 혹이 만들어지는데, 그 혹을 죽종(粥腫)이라 한다. 혈관에 죽종이 생기면 죽종의 표면이 까칠까칠하고, 혈관의 벽이 두꺼워지며, 혈액이 통과할 수 있는 통로가 좁아지기 때문에 혈액 순환에 지장을 받게 된다.

그러면 신체조직에 죽종이 생기기 전과 똑 같은 양의 혈액을 보내기 위해서는 심장이 펌프질을 더 열심히 해야 하고, 그러면 혈압이 올라갈 수밖에 없게 된다. 그것을 고혈압이라 하고, 죽종이 터져서 혈관 안에 피떡(혈전)이 생겨 혈관 내경이 급격하게 좁아지거나, 막히게 되는 것을 죽상경화증(동맥경화증)이라고 한다.

심장에 피를 공급하는 관상(심장)동맥에 죽상경화증이 발생하면 협심증 또는 심근경색, 뇌에 피를 공급하는 뇌동맥이나 목동맥에 죽상경화증이 발생하면 뇌졸중이나 뇌경색, 콩팥에 피를 공급하는 신장(콩팥)동맥에 죽상경화증이 발생하면 신부전증이 발생된다.

2 고혈압과 운동프로그램

혈액이 혈관벽에 가하는 힘을 혈압이라고 하는데, 수축기 혈압이 140mmHg 이상이거나 확장기 혈압이 90mmHg 이상이면 고혈압으로 진단한다. 나이가 들면서 혈압이 서서히 올라가서 고혈압이 되는 것을 1차 고혈압, 어떤 병의 후유증으로 고혈압이 된 것을 2차 고혈압이라 한다.

고혈압 환자의 95% 이상이 1차 고혈압 환자이다. 1차 고혈압이 발병되는 원인은 유전, 노화, 고염식(소금), 흡연, 스트레스 등이다.

고혈압인 사람이 주기적으로 운동을 하면 혈관의 내경을 늘여주고, 혈관의 탄력성이 증가하여 혈압을 낮추어주는 효과가 있다. 그러나 운동을 멈추면 약 2주 후부터 혈압을 낮추어주는 효과가 사라져버린다.

☞ 운동의 종류는 걷기, 맨손체조, 자전거타기, 수영, 뒤로 걷기, 사교댄스, 조깅, 게이트볼 등이 적당하고, 축구, 농구, 테니스, 중량운동 등은 가급적 피한다.

☞ 운동강도는 최대산소섭취량의 50~70%, 운동자각도는 '가볍다' ~ '다소 힘들다', 맥박수로는 138-(나이÷2)로 운동할 것을 권장한다.

☞ 운동 지속시간은 1회에 30~60분, 운동빈도는 주당 2~3회가 적당하다.

3 심장병과 운동프로그램

대부분의 심장병은 운동을 권장하지 않고 오히려 금기시한다. 그러나 관상동맥을 통해서 심장 근육에 혈액을 공급하는 것이 일시적으로 잘 되지 않아서 가슴이 답답하고 통증을 느끼는 허혈성 협심증일 때에만 운동을 권장한다.

허혈성 협심증이 발생한 후 약 8주가 지나면 회복기에 접어든 것으로 보고, 회복기 중에 운동을 하라는 것이다. 그러나 운동 중 심장에 이상이 생기면 즉시 모니터링할 수 있는 상황일 때에만 운동을 해야 한다.

☞ 운동의 종류는 걷기나 자전거타기가 적당하다.
☞ 운동강도는 여유심박수의 50%를 목표심박수로 결정한다.
☞ 운동 지속시간은 약 20분, 운동빈도는 주당 3회가 적당하다.

▶ 심장질환자의 신체활동 프로그램(ACSM : 2010)

운동	운동빈도	운동강도	운동시간	운동유형
유산소운동	4~7일/주	HRR 40~80%, RPE 11~16	총 20~60분	대근육 사용을 통한 율동적 운동
저항운동	2~3일/주	1RM 60~80% (팔 30~40%/다리 50~60%)	8~10가지 운동, 세트당 8~12회 반복 2~4세트	각각의 대근육 사용을 시작으로 소근육 사용을 점진적으로 증가

▶ 뇌졸중환자의 신체활동 프로그램(Circulation, 109(106))

구성요소	빈도	강도	시간	유형
유산소운동	3~7일/주	40~80% 최대 여유심박수	회당 20~60분	대근육운동
저항운동	2~3일/주	–	10~15회 반복 1~3세트	웨이트트레이닝
유연성운동	2~3회/주	–	각 동작당 10~30초 정지	스트레칭
신경근운동	2~3회/주	–		협응력과 균형운동

4 기관지천식과 운동프로그램

기관지가 좁아져서 숨이 차고, 가랑가랑하는 숨소리가 들리면서 기침을 심하게 하는 증상을 기관지천식이라고 한다. 기관지천식은 기관지의 알레르기 염증 반응 때문에 발생하고, 유전적 요인과 환경적 요인이 합쳐져서 나타난다.

기관지천식은 만성적이고 재발이 많은 질환이므로 증상을 잘 조절하고 폐기능을 정상화하여 일상생활을 정상적으로 유지하는 것이 중요하다. 치료방법에는 약물요법, 회피요법, 면역요법, 운동요법이 있다.

천식환자들의 상당수는 운동, 특히 찬 공기를 마시며 달리면 기관지 수축이 와서 심한 호흡곤란을 느끼게 되므로 운동 전에 적절한 약제를 복용하고, 준비운동을 반드시 해야 한다.

▶기관지천식 환자를 위한 운동요법

☞ 걷기, 실내에서 자전거타기, 등산, 에어로빅, 수영, 물속에서 걷기 등이 좋다. 특히 물속에서 하는 운동은 기관지가 냉각되어 수축하거나 습도가 낮아 건조해질 염려가 거의 없기 때문에 기관지천식 환자들에게 아주 적절한 운동이다.

☞ 운동 지속시간은 20~30분으로 짧게 하고, 그 시간도 한꺼번에 계속해서 운동하지 말고 반드시 중간중간에 휴식을 해야 한다.

☞ 운동빈도는 거의 매일 해야 한다. 운동 지속시간이 짧기 때문에 그것을 보상하기 위해서이다.

대사증후군의 발병기전

체내의 물질대사 장애에 의해서 발생하는 질환을 대사증후군이라 하고, 과도한 영양섭취나 운동부족과 같은 생활습관이 대사증후군의 원인이다. 당뇨병, 고혈압, 고지질혈증(이상지질혈증), 심장병 등이 주요 대사질환이다.

1 당뇨병과 운동프로그램

췌장에서 분비되는 인슐린은 모세혈관 안에 있는 당분(글루코스)을 흡수해서 근육이 에너지원으로 이용할 수 있도록 도와주는 역할을 한다. 어떤 원인에 의해서 인슐린이 제기능을 다하지 못하게 되면 혈액 안에 당분이 너무 많게 되고, 그러면 신장에서 당분을 걸러내서 소변으로 배출하게 된다. 그래서 당분이 많이 들어 있는 소변을 보는 병이라는 뜻으로 '당뇨병'이라고 한다.

당뇨병에는 제1형 당뇨병과 제2형 당뇨병이 있다. 췌장에서 인슐린을 전혀 생산하지 못하게 된 것을 제1형 당뇨병이라 하고, 췌장에서 인슐린을 너무 적게 생산하거나 인슐린 저항성이 커진 것을 제2형 당뇨병이라 한다. 제2형 당뇨병환자는 운동이 필수적이다.

인슐린이 모세혈관의 혈액에서 당분을 흡수하도록 도와주어도 그 효과가 조금밖에 나타나지 않는 것을 인슐린 저항성이 크다고 한다. 나이가 들어서 노인이 되면 인슐린 저항성이 커지는 경우가 많은데, 그러한 증상은 특별히 노인성 당뇨병이라고 한다.

다음 3가지 증상 중 한 가지 이상이 나타나면 당뇨병으로 진단한다.

☞ 공복 시 혈당이 126 mg/dl 이상(정상은 110 mg/dl 미만).

☞ 당뇨병의 전형적인 증상인 다음(물을 자주 많이 마신다.), 다뇨(소변을 자주 본다.), 다식(음식을 많이 먹는다.), 체중감소(몸무게가 준다.)가 나타난다.

☞ 공복 상태에서 혈당 검사를 한 다음 포도당을 먹고 30분 간격으로 혈당검사를 4~6회 하는 것을 경구당부하검사라 하고, 그 검사에서 1번이라도 혈당이 200 mg/dl 이상.

당뇨를 개선하기 위해서는 근본적으로 음식물을 통한 당분의 섭취를 줄이고, 운동을 통해서 혈액 안에 들어 있는 당분의 소비를 증가시키는 것이다. 약물요법, 식이요법, 운동요법을 병행하는 것이 가장 효과적이다.

▶ 당뇨병 환자를 위한 운동프로그램의 내용

☞ 운동의 종류는 걷기, 조깅, 자전거 타기, 수영, 계단 오르기, 등산 등이 적당하다.

☞ 운동강도는 저강도 ~ 낮은 고강도, 최대산소섭취량의 40~60%, 여유심박수의 30~50%, 1RM의 30~50%가 적당하다.

☞ 식사 후 30~60분에 운동을 시작해서 20~60분 동안 운동을 지속하고, 운동빈도는 주당 3회 이상

▶ 당뇨병 환자의 신체활동 프로그램(ACSM : 2010)

운동	운동빈도	운동강도	운동시간	운동유형
유산소운동	3~7일/주	RPE 10~16 HRR 50~80%	최소 10분부터 점차적으로 늘림(20~60분)	체중에 부하를 주지 않는 신체활동
저항운동	최소 2일/주	10~15회 피로감이 있을 때까지, 1RM의 60~80% 8~12회 반복	8~10회 반복 2~3세트	대근육운동

*제2형 당뇨병 환자는 최소 1,000kcal/주 소비할 수 있는 신체활동을 권고한다.
*운동 참여 전 모니터링과 관리를 필요로 한다.
*목표가 체중 감소의 경우보다 높은 칼로리(2,000kcal 이하)를 소모할 수 있도록 조정한다.
*운동 전후에는 혈당 관찰을 권장한다.

2 고지질혈증(이상지질혈증)과 운동프로그램

피 속에 지방 성분이 정상보다 많이 들어 있는 상태를 고지질혈증이라 하고, 혈액 점도가 상승하고, 혈관염증에 의해서 말초순환 장애를 일으키며, 동맥에 죽상경화를 일으켜 뇌경색 또는 심근경색의 직접적인 원인이 된다.

유전이 원인인 경우가 많지만, 비만이나 술, 당뇨병 등과 같은 다른 원인에 의해서도 고지질혈증이 생길 수 있다. 고지질혈증은 완치되어 없어지는 병이 아니라 조절이 필요한 병이다. 지속적으로 관리하기 위해서는 다음 3가지 사항을 잘 지켜야 한다.

☞ 저지방, 저콜레스테롤의 식품을 섭취한다.

☞ 규칙적인 운동습관을 갖는다.

☞ 필요한 경우 지질 저하제를 복용한다.

▶고지질혈증 환자를 위한 운동요법의 내용

☞ 달리기, 걷기, 수영, 골프, 자전거, 체조, 스키 등이 좋다.

☞ 운동 지속시간은 30분에서 45분 정도가 적합하고, 서서히 운동량을 늘려야 한다.

☞ 운동빈도는 주당 3회 이상이 좋다.

▶고지질혈증 환자를 위한 식이요법의 내용

☞ 식이요법은 모든 고지질혈증 치료의 기본이다. 개개인마다 먹는 것도 다르고 환경도 다르니까 자기에 맞게 식이요법을 시행해야 한다.

☞ 섭취하는 지방량을 총 섭취 칼로리의 25~35%로 제한한다.

☞ 기름은 가능한 한 제거하고, 튀김은 피한다. 너무 짜게 먹는 것도 좋지 않다.

③ 비만증과 운동프로그램

비만증은 에너지 공급과 소비의 불균형으로 지방량이 비정상적으로 체내에 쌓이는 질환이다. 발생원인은 유전적 요인, 환경적 요인(잘못된 식습관, 운동 부족, 스트레스) 등이다.

비만은 만병의 근원이라 할 수 있다. 체지방률 산출방법은 여러 가지가 있지만, 현재 국제적으로 가장 널리 이용되는 평가방법은 체질량지수(BMI) 산출법이다.

▶ 체질량지수 산출법

체질량지수(BMI)=체중(kg)÷키(m)^2

☞ BMI가 25 이상이면 비만으로 본다.

☞ 각종 질병 발생 및 합병증 유발이 가장 낮은 BMI는 22.2이다.

☞ BMI 22를 표준체중 또는 이상체중으로 설정하도록 권장하고 있다.

▶비만자를 위한 운동 프로그램

☞ 유산소운동(걷기, 달리기, 등산, 계단오르기 등), 체중부하운동보다는 비체중부하운동(수영, 자전거)이 좋다. 운동 지속시간은 30~60분 정도가 적당하다.

☞ 운동강도는 최대심박수(HRmax)보다는 운동자각도('전혀 힘들지 않다' 6점~'최고로 힘들다' 20점까지의 수치로 측정)를 기준으로 한다.

☞ 낮은 강도의 운동에서 시작하여 점차적으로 강도를 높인다.

☞ 운동빈도는 주 3~5회가 적당하다.

▶ 비만자의 체중감량을 위한 신체활동 프로그램(ASCM : 2010)

☞ 최대 주당 1kg 감량을 목표로 한다.

☞ 정상성인은 하루 칼로리섭취량이 1,200kcal 이하가 되어서는 안 된다.

☞ 사회문화적 배경, 생활습관, 기호, 가격, 구입 및 조리방법 등을 고려하여 섭취하기 쉬운 식품들로 구성한다.

☞ 케톤혈증같은 대사장애를 일으키지 않도록 점차적으로 감량 밸런스(하루 감량 500~1,000kcal 범위)를 맞추도록 한다.

☞ 하루 300kcal 이상 소비하는 운동 프로그램에 참가한다. 운동종목은 보행과 같이 낮은 강도의 장시간 운동이 좋다.

☞ 달성된 저체중을 유지하기 위해서는 새로운 식습관과 신체활동을 계속 유지해야 한다.

근육뼈대계통 질환의 운동프로그램

근육뼈대계통의 질환이나 손상은 통증, 변형과 기능장애의 형태로 나타나며, 생명을 위협하는 경우는 적으나 방치하면 영구적인 장애로 남게 되어서 삶의 질을 저하시킨다.

① 퇴행성 관절염과 운동프로그램

퇴행성 관절염은 관절을 보호하고 있는 연골의 점진적인 손상이나 퇴행성 변화로 인해 관절을 이루는 뼈와 인대 등에 손상이 일어나서 생기는 질환이다.

특별한 기질적 원인 없이 발생하는 것을 1차성 관절염, 외상·질병·기형 등이 원인이 되어 발생하는 것을 2차성 관절염이라 한다. 1차성 관절염은 대부분 노인들에게 발생한다.

▶관절염의 대표적인 증상

☞ 관절의 운동 범위가 감소된다.

☞ 관절이 붓는다(부종).

☞ 관절 주위에 압통이 나타나며 관절 연골의 소실과 변성에 의해 관절면이 불규칙해지면 관절 운동 시 마찰음이 느껴질 수도 있다.

퇴행성 관절염 환자는 아래의 PRICE 원칙을 따라야 한다.

☞ Protection……지팡이를 사용해 체중부하를 줄임으로써 관절을 보호한다.

☞ Rest……가급적 오래 서 있거나, 계단 오르기를 피하고 휴식을 취한다.

☞ Ice……얼음찜질을 하루 15분씩 수차례 실시한다.

☞ Compression……붕대로 감아 압박한다.

☞ Elevation……무릎이 부었으면 다리를 들어올린다.

▶퇴행성 관절염 환자를 위한 운동요법

☞ 수영, 자전거 타기 등을 이용한 운동치료나 물리치료를 초기치료로 병행할 수 있다. 온열요법, 마사지, 경피신경자극 등의 물리치료가 증상 완화와 근육위축 방지에 효과적일 수 있다. 수중운동이나 실내에서 자전거타기를 하는 것이 좋다.

☞ 운동강도는 유산소 운동인 경우 여유심박수의 40~60%, 근력운동인 경우 1RM의 40~60%가 적당하다.

☞ 운동 지속시간은 10분 이하 운동을 한 다음 쉬었다가 다시 운동하는 인터벌트레이닝 방법으로 해야 한다. 주당 3회, 총 운동시간은 주당 150분 정도가 되도록 한다.

2 골다공증과 운동프로그램

뼈의 강도가 약해져서 골절되기 쉬운 상태를 골다공증이라고 한다. 노화에 의하여 자연적으로 발생하는 1차성 골다공증과 병이나 약물이 원인이 되어 발생하는 2차성 골다공증이 있다. 1차성 골다공증은 폐경 여성에서 발생되는 '폐경 후 골다공증'과 '노인성 골다공증'으로 분류한다. 골다공증 예방에는 칼슘 섭취, 비타민 D 섭취, 운동, 금연, 금주 등이 좋다.

▶ 골다공증을 예방 또는 증후를 개선하기 위한 운동요법

☞ 골다공증에는 체중부하 운동이나 균형감을 증진시키는 운동이 권장된다. 걷기나 등산 같은 유산소 운동과 저항성 근력운동을 병행하는 것이 좋고, 스트레칭, 제자리에서 뛰기, 댄싱, 헬스기구를 이용하는 운동 등도 좋다. .

☞ 운동강도는 유산소 운동인 경우 최대산소섭취량의 60~80%, 저항성 근력운동인 경우 최대근력의 60~80%에서 시작하여 90%까지 점차적으로 늘린다.

☞ 운동 지속시간은 하루에 30~60분 이상, 운동빈도는 유산소 운동은 주당 3~5회, 근력운동

은 주당 3회가 적당하다. 운동은 습관적·지속적으로 해야 한다.

☞ 1주일에 2회씩은 약 15분 정도 햇볕을 쬐어 뼈에 필요한 비타민 D를 충분히 합성하게 한다.

▶ 골다공증 환자의 신체활동 프로그램(ACSM : 2010)

<table>
<tr><th>대상</th><th>운동</th><th>운동빈도</th><th>운동강도</th><th>운동시간</th><th>운동유형</th></tr>
<tr><td rowspan="2">골다공증
위험요인
보유자</td><td>유산소운동</td><td>3~5일/주</td><td>–</td><td rowspan="4">유산소운동과
저항운동
각 30~60분</td><td>체중부하
운동</td></tr>
<tr><td>저항운동</td><td>2~3일/주</td><td>1RM의 60~80%
(8~12회 반복)
1RM의 80~90%
(5~6 반복)</td><td>웨이트
트레이닝</td></tr>
<tr><td rowspan="2">골다공증
환자</td><td>유산소운동</td><td>3~5회/주</td><td>중간강도
(40~60% 예비심박수)</td><td>체중부하
운동</td></tr>
<tr><td>저항운동</td><td>2~3회/주</td><td>1RM의 60~80%
8~12회 반복</td><td>웨이트
트레이닝</td></tr>
</table>

*운동은 관절이나 신체에 통증을 유발하거나, 보유한 통증을 악화시키지 않아야 한다.

*척주에 급하거나 강한 충격을 주는 부하, 뒤틀림, 구부림 등 압박이 가해지는 운동은 피한다.

신경계통 질환의 운동프로그램

신경계통은 신체활동을 상황에 맞게 조절하고 통제하는 역할을 하며, 신경계통 질환은 완치가 어렵다. 대표적인 신경계통 질환은 다음의 4가지이다.

뇌전증	간질이라 부르던 것이 뇌전증으로 변경되었다. 대뇌피질의 신경세포들이 갑작스럽고 무질서하게 과흥분함으로써 나타나는 신체 증상을 뇌전증 발작이라 하고, 뇌전증 발작이 반복적으로 발생해서 약물치료나 수술이 필요하면 뇌전증이라고 한다. 유전, 중추신경계의 손상, 음주가 원인이다.
파킨슨병	운동신경의 신경전달물질인 도파민이 부족하여 발생하는 질환이다. 발병 초기에는 몸이 떨리고 걸음이 느려지다가 점점 근육이 굳고 나중에는 거의 움직이지 못할 정도로 치명적인 질병이다. 미각과 후각이 저하하고 잠꼬대가 늘기도 하며 우울증에 걸리기도 한다.
뇌졸중	뇌경색 또는 뇌출혈이 원인이 되어 뇌세포가 손상되는 질환이다. 고혈압, 당뇨병, 고지질혈증 환자는 뇌졸중에 걸릴 확률이 높다.
치매	치매는 노화로 인해 발생하는 대표적인 신경계통 질환이며, 알츠하이머 치매와 혈관성 치매로 나뉜다. 알츠하이머 치매는 뇌에 특정 단백질이 쌓이는 것이 원인이며, 한 번 발생하면 완치가 어렵고 약물치료로 병의 진행을 늦출 수는 있다. 초기에 발견하면 운동요법의 효과를 기대할 수 있다. 혈관성 치매는 뇌로 가는 혈액이 줄거나 뇌혈관이 손상되어 발생하므로 원인이 생기지 않도록 관리하여 예방치료를 할 수 있다. 걷기 · 수영 · 달리기 등 다양한 유산소 운동을 꾸준히 하고 영양소를 골고루 섭취하는 등 건강한 습관을 가지면 증상이 잘 호전되므로 적극적으로 치료를 받아야 한다.

▶ 치매 예방을 위한 조치 또는 생활습관

☞ 치매 원인은 70여 가지가 있고 그중 3분의 1은 적절한 치료를 통해 증상의 호전이나 완치를 기대할 수 있고, 빨리 발견할수록 치료 가능성이 더욱 높다.

☞ 신체적 건강을 잘 유지하는 것이 기본이다.

☞ 나이가 들어도 긍정적인 생각을 갖고 적극적인 사회생활이나 여가생활을 하면 치매를 예방하는 데 도움이 된다.

☞ 지속적인 두뇌 활동도 알츠하이머 치매의 발병을 어느 정도 예방할 수 있다.

☞ 규칙적이고 적당한 운동은 치매예방에 필수적이다.

▶ 치매 예방 또는 병증을 개선하기 위한 운동요법

☞ 노인이 규칙적으로 운동을 하면 치매에 걸릴 위험이 30~40% 줄어든다. 걷기, 조깅, 자전거타기, 수영 등과 같은 유산소 운동이 좋다. 유산소 운동과 함께 근력운동을 곁들이면 더 좋다.

☞ 운동강도는 옆 사람과 이야기하면서 운동할 수 있을 정도로 '약간 가볍다.' 수준이면 충분하다.

☞ 운동 지속시간은 30분 이상, 운동빈도는 주당 4회 이상이 좋다.

만성질환자의 운동프로그램

▶ 만성질환자 및 장애자의 신체활동 프로그램(ACSM : 2009)

운동	운동빈도	운동강도	운동시간	운동유형
유산소운동	최소 격일제	중간강도 정도로 하되 증상에 따라 활동제한	15~40분/회	걷기, 자전거타기, 수중에어로빅
저항운동	2~3일/주	1RM의 50% 강도로 3~5회, 10~12회 증가시켜 2~3세트	20~30분	자유부하운동, 밴드, 서킷운동
스트레칭운동	5~7일/주	불편하지 않은 지점 이하로 스트레칭 유지	20~60초 유지	스트레칭
평형성운동	매일		-	일상활동, 보행 및 균형훈련

*치료나 의학적인 상황 변화에 따라 빈도를 조절함.

기타 노인성 질환의 운동프로그램

1 전립선비대증과 운동프로그램

전립선비대증은 전립선이 비대해져 소변이 나오는 통로를 막아 소변의 흐름이 감소된 상태로 빈뇨, 절박뇨, 지연뇨, 단절뇨, 복압배뇨, 세뇨, 잔뇨감, 배뇨 후 요점적, 절박성 요실금 등의 증상을 보인다.

▶ 전립선비대증 예방법

☞ 규칙적인 생활과 충분한 휴식을 취하고 너무 오래 앉아 있는 것은 피한다.

☞ 건전하고 적절한 성생활과 규칙적 운동이 전립선비대증 예방에 도움이 된다.

☞ 과일류, 채소류, 생선류의 섭취를 늘리고, 육류와 지방 및 칼로리는 제한하는 것이 좋다.

☞ 자극성 음식, 동물성 지방 음식은 피하고, 과음도 삼가는 것이 좋다.

☞ 피로는 피해야 하고, 좌욕을 자주하는 습관을 갖는 것이 좋다.

2 요실금과 운동프로그램

자신의 의지와 관계없이 소변을 지리게 되는 증상으로 복압성 요실금과 절박성 요실금이 있다.

골반근육과 요도괄약근이 약화되어 복부 내 압력이 증가할 때 방광과 요도를 충분히 지지해주지 못해서 소변이 누출되는 것이 복압성 요실금이다. 절박성 요실금은 갑작스럽게 소변이 마렵고 이로 인해 소변을 참지 못하고 소변을 흘리는 것이다.

▶ 복압성 요실금 환자에게 적용하는 운동요법

☞ 요실금환자를 위한 운동은 방광훈련과 골반바닥근육(골반저근) 강화운동으로 구성된다.

☞ 방광훈련……배뇨를 할 때 일부러 소변을 여러 번으로 나누어서 보는 훈련이다. 처음에는 어렵지만 얼마 지나지 않아서 마음대로 소변을 멈출 수 있게 된다.

☞ 골반바닥근육(골반저근) 강화운동……선 자세, 의자에 앉은 자세, 방바닥에 누운 자세 등을 취하고, 항문·요도·질을 조이는 기분으로 아랫배에 힘을 5초 동안 주고 있다가 서서히 힘을 빼는 동작을 10~20회 반복한다.

보건 관련 기구에서 제시한 노인 신체활동 프로그램

▶ 세계보건기구의 노인 신체활동 프로그램(WHO : 2008)

목적	운동	운동빈도	운동강도	운동시간	운동유형
건강증진 및 유지	유산소운동	중간강도 : 주/5회 고강도 : 주/3회	중간강도 30분 또는 고강도 20분	30분까지 점진적으로 증가	
	저항운동	중간강도 : 주/5회 고강도 : 주/3회	주 2회 근력강화훈련	한 운동당 2세트 8~12회 반복	
	스트레칭	중간강도 : 주/5회 고강도 : 주/3회	최소 3회 근력 및 지구력운동 후	10~30초간	
	평형운동	낙상 위험이 있는 노인	–	–	

*출처 : www.who.int/dietphysicalactivity/factsheet_recommendations/en/index.html

▶ 신체활동 가이드라인 자문위원회의 노인 신체활동 프로그램(PAGAC : 2008)

목적	운동	운동빈도	운동강도
부상률 감소	중간강도 걷기운동	각 30분/세션	주 2~3회
	근력강화운동	각 30분/세션	주 3회
	평형운동	근력강화 프로그램의 일부분으로 시행	주 3회

*출처 : www.health.gov/paguidelines

▶ 국립 노화연구소의 노인 신체활동 프로그램(NIA : 2009)

목적	운동	운동빈도	운동강도	운동시간	운동유형
노인들의 건강 및 독립성 개선	유산소 운동	5~7회	운동자각도 13	30분까지 점진적 증가	걷기, 수영, 조깅
	저항운동	최소 2회 연속적으로 금지	운동자각도 15~17	한 운동당 2세트 8~15회 반복	근육군을 대상으로 저항성밴드, 웨이트 기구를 사용한 운동
	스트레칭	최소 3회 근력 및 지구력운동	최소 저강도~불편함을 느낄 정도	10~30초 간	무릎힘줄, 종아리근, 발목, 삼두박근, 손목
	평형운동		탁자 또는 의자를 잡고 시작	–	족저굴곡, 고관절, 굴곡 및 슬관절 신전

*더운 환경일 때는 충분한 수분 공급으로 탈수 방지.

*저체온 또는 추운 환경 방지를 위한 옷입기.

필수 및 심화 문제

필수문제

01 보기에서 김 할아버지의 죽상경화증 심혈관질환의 위험요인을 바르게 제시한 것은?

보기

건강증진 운동프로그램에 참여하고자 하는 김 할아버지의 정보

- 연령 : 67세, 성별 : 남성, 신장 : 170 cm, 체중 : 87 kg
- 총콜레스테롤 : 190 mg/dL,
- 안정 시 혈압 : 130 mmHg / 85 mmHg
- 공복혈당 : 135 mg/dL
- 흡연 : 30대부터 하루에 10~20 개비

* 미국스포츠의학회(ACSM, 2018)를 참고한 기준 적용

① 연령, 비만, 당뇨병, 흡연　② 과체중, 총콜레스테롤, 혈압, 당뇨병
③ 연령, 과체중, 혈압, 흡연　④ 비만, 총콜레스테롤, 혈압, 흡연

■ 죽상경화증(동맥경화증)의 위험요인
- 고콜레스테롤혈증 : 이 경우는 해당 안 됨
- 고중성지방
- 고혈압(140/90mmHg 이상) : 해당됨
- 흡연 : 해당됨
- 당뇨병 : 해당됨
- 심혈관질환의 가족력
- 고연령 : 해당됨
- 운동부족, 과체중 및 복부비만 : 비만에 해당됨

필수문제

02 보기에서 노인 운동 검사 전 의사에게 의뢰가 필요한 징후나 증상을 모두 고른 것은?

보기

㉠ 가슴 통증이나 불편함　㉡ 빠르고 불규칙한 심장박동
㉢ 현기증이나 기절　㉣ 통증을 동반한 발목의 부종

① ㉠　② ㉠, ㉡　③ ㉠, ㉡, ㉢　④ ㉠, ㉡, ㉢, ㉣

■ 노인 운동 검사 전 의학적 진단이 필요한 증상
- 심혈관계질환
- 폐질환
- 뇌혈관질환
- 당뇨병
- 말초혈관질환
- 빈혈
- 정맥염
- 색전증
- 암
- 골다공증
- 정서장애
- 섭식이상
- 관절질환

심화문제

03 노인성 질환의 예방 방법으로 바르지 않은 것은?

① 초기에 병의 위험인자를 발견하여 진단과 치료를 시행한다.
② 정밀검사가 필요한 경우 한방 및 민간요법으로 치료한다.
③ 규칙적인 생활과 적당한 여가 선용, 식습관이 중요하다.
④ 스트레스 관리 및 운동의 생활화가 될 수 있도록 노력한다.

정답 01 : ①, 02 : ④, 03 : ②

혈압의 분류

04 다음은 안정상태에서 측정한 혈압을 근거로 고혈압, 저혈압, 정상혈압을 분류한 것이다. 잘 보고 정확하게 알아두어야 한다.

수축기 혈압	확장기 혈압	판정
100 미만	얼마이든 상관없이	무조건 저혈압
100~120(정상)	80 미만(정상) 80~90(주의) 90 이상(고혈압)	정상+정상=정상 정상+주의=주의 정상+고혈압=고혈압
120~140(주의)	80 미만(정상) 80~90(주의) 90 이상(고혈압)	주의+정상=주의 주의+주의=주의 주의+고혈압=고혈압
140 이상	얼마이든 상관없이	무조건 고혈압

필수문제

05 보기에서 고혈압 질환이 있는 노인의 운동 지도 시 고려해야 할 사항으로 적절한 것만을 모두 고른 것은?

보기
㉠ 등척성 운동을 권장한다.
㉡ 나트륨 섭취 제한, 체중조절, 유산소 운동을 권장한다.
㉢ 저항성 운동 시 발살바 메뉴버에 의한 혈압 상승에 주의한다.
㉣ 이뇨제, 칼슘채널차단제, 혈관확장제 등의 약물에 의한 운동 후 혈압 상승에 주의한다.

① ㉠, ㉡ ② ㉠, ㉢ ③ ㉡, ㉢ ④ ㉢, ㉣

■ ㉡ 고혈압환자는 나트륨 섭취 제한과 체중조절을 해야 하며, 유산소 운동이 좋다.
■ ㉢ 저항성 운동을 할 때 발살바 메뉴버 호흡을 하면 혈압이 상승할 수 있으므로 주의해야 한다.
■ **발살바 메뉴버**(Valsalva Maneuver) **호흡**은 무거운 중량을 들 때 하는 호흡법으로, 코와 입을 막은 상태에서 배에 힘을 주면서 숨을 세게 내쉬는 방법을 말한다.
■ ㉠ 등척성 운동은 혈압을 상승시킨다.
■ ㉣의 약물을 복용하면 운동 후 혈압이 저하할 수 있다.

심화문제

06 수축기혈압이 140mmHg 이상이거나 확장기혈압이 90mmHg 이상이면 고혈압으로 판정한다. 고혈압환자의 운동방법 중에서 틀린 것은?

① 나이가 들면서 서서히 혈압이 올라서 고혈압이 되면 1차고혈압(본태성고혈압), 어떤 질병 때문에 고혈압이 되면 2차고혈압(증후성고혈압) 이라고 한다,
② 너무 격렬한 운동을 하면 위험하고, 너무 쉬운 운동을 하면 효과가 없으므로, 50~70% 강도의 운동을 해야 한다.
③ 운동시간은 30분 이상으로 길게, 주당 3회 이상 운동을 해야 한다.
④ 가급적 추운 환경에서 운동을 한다.

■ 추운 환경에서 운동을 하면 혈압이 갑자기 상승하므로 위험하다.

정답 05 : ③, 06 : ④

07 고혈압이 있는 노인을 위한 운동프로그램으로 적절하지 못한 것은?

▪고혈압이 있는 노인이 60~80% 강도로 운동을 하면 뇌졸중이나 심장기능이상의 위험성이 높다.

① 최대산소섭취량의 60~80% 수준의 운동강도
② 운동시간은 1회 30~60분
③ 운동빈도는 주당 3회
④ 스트레칭 및 유연성운동

08 고혈압이 있는 노인의 안정시 혈압을 감소시키는 요인이 아닌 것은?

▪안정시 심박출량이 증가하면 혈압이 상승한다.

① 안정시 심박수 감소
② 말초 저항 감소
③ 안정시 심박출량 증가
④ 혈관 탄력성 증가

09 고혈압이 있는 노인의 운동에 관한 설명으로 가장 적절한 것은?

▪추울 때 입과 코를 막고 숨을 내쉬려고 노력하면 흉강내압이 증가하여 정맥환류가 방해를 받는다.

① 고강도 저항성 운동을 하는 것이 바람직하다.
② 추운 날씨에는 야외운동을 삼가는 것이 좋다.
③ 주 1회 운동으로도 혈압저하 효과는 크게 나타난다.
④ 발살바조작(Valsalva maneuver)이 동반되는 저항성 운동이 권장된다.

10 고혈압의 원인이라고 보기 어려운 것은?

▪염분섭취를 제한적으로 줄이는 것은 고혈압을 예방하는 방법이다.

① 비만
② 스트레스
③ 운동 부족
④ 제한적 염분 섭취

11 고혈압은 어디에 속하는가?

▪심장과 주요 동맥에서 발생하는 질환이 심장혈관계통질환이다.

① 대사성 질환
② 심장혈관계통 질환
③ 호흡계통 질환
④ 신경계통 질환

정답 07 : ①, 08 : ③, 09 : ②, 10 : ④, 11 : ②

필수문제

12 보기 중에서 천식환자에게 운동을 시켰을 때 기대할 수 있는 효과를 모두 고른 것은?

보기
㉠ 허파꽈리(폐포)의 탄력 향상
㉡ 호흡기능의 향상
㉢ 부교감신경의 과민반응 증가
㉣ 전신지구력의 향상

① ㉠㉢㉣
② ㉠㉡㉢
③ ㉠㉡㉣
④ ㉠㉡㉢㉣

■ 운동을 하여 부교감신경의 과민반응이 증가하면 천식이 악화되므로 운동이 천식을 더 나쁘게 했다는 말과 같다.

심화문제

13 만성 허파질환과 거리가 먼 것은?

① 실어증
② 발작
③ 호흡 곤란
④ 체력 약화

■ 허파에 질환이 생겼다고 말을 못하게 되는 것은 아니다.

필수문제

14 허파질환은 호흡곤란과 관련이 있고, 흡연·공해·호흡기감염 등이 원인이다. 허파질환을 개선하기 위한 운동에 대한 설명 중 틀린 것은?

① 세기관지에 염증이 생겨서 붓고 기도가 좁아진 것을 만성기관지염, 허파꽈리(폐포)가 파괴된 것을 허파공기증(허파기흉), 기관지의 알러지 염증반응 때문에 기도에 과민반응이 생긴 것을 천식이라고 한다.
② 허파질환을 앓고 있는 노인들에게는 호흡을 개선시키고, 심폐지구력을 향상시키기 위해서 유산소심폐지구력 운동을 시켜야 한다.
③ 30~40%의 운동강도로, 운동시간은 짧게 시작해서 점차 늘려야 하며, 주당 3~5회가 좋다.
④ 환자가 자율적으로 운동하도록 놓아두어야 한다.

■ 허파질환이 있는 노인은 반드시 보호관찰이 가능한 상태에서 운동을 해야 하고, 호흡곤란 증상을 보이면 즉시 운동을 중지시켜야 한다.

정답 12 : ③, 13 : ①, 14 : ④

심화문제

15 호흡계통 질환이 있는 노인을 위한 운동프로그램으로 적절하지 못한 것은?

① 저항운동과 유산소운동을 병행한다.
② 수중운동이 바람직하다.
③ 운동시간은 짧게, 자주하는 것이 좋다
④ 하루 중 가급적이면 오전에 운동하는 것이 좋다.

■ 오전보다 오후가 좋다.

필수문제

16 공복혈당이 126mg/dl 이상이면 당뇨병으로 판정한다. 당뇨병환자의 운동방법을 설명한 것 중 틀린 것은?

① 이자(췌장)에서 인슐린을 분비하지 못하기 때문이면 제1형 당뇨병, 인슐린에 대한 저항성 때문이면 제2형 당뇨병이라고 한다.
② 당뇨병의 증상은 갈증, 다음, 다뇨, 체중감소 등이다.
③ 큰 근육을 움직이는 전신운동이 좋고, 근력운동을 적극적으로 수행해야 골격근의 근육량을 늘릴 수 있다.
④ 운동을 하면 음식조절은 하지 않아도 된다.

■ 당뇨병은 음식조절이 가장 중요하다. 당뇨병환자의 운동 목표는 '지질대사를 촉진시켜서 세포들의 인슐린 감수성을 높이는 것'이다.

심화문제

17 당뇨병의 진단기준으로 옳은 것을 모두 고르시오.

① 공복혈당이 120mg/dl 이상
② 공복혈당이 126mg/dl 이상
③ 식후 2시간 이내의 혈당이 200mg/dl 이상
④ 식후 2시간 이내의 혈당이 226mg/dl 이상

18 당뇨병이 있는 노인의 증상과 거리가 가장 먼 것은?

① 순환 장애
② 추위에 대한 내성의 저하
③ 지구력의 저하
④ 기능성 운동의 감소

■ 당뇨병이 있다고 추위를 더 타는 것은 아니다.

정답 15 : ④, 16 : ④, 17 : ②, 18 : ②

19 당뇨병이 있는 노인을 위한 운동프로그램 중 옳지 못한 것은?

① 운동강도를 서서히 올릴 수 있어야 한다.
② 당뇨 조절이 안정적인지 불안정한지에 따라 운동프로그램을 결정해야 한다.
③ 운동프로그램만 열심히 실시하면 당뇨가 효과적으로 개선될 수 있다.
④ 걷기, 조깅, 자전거 타기와 같은 전신운동을 주로 한다.

■ 식이요법, 약물요법, 운동요법을 병행해야 효과가 좋다.

20 당뇨병이 있는 노인의 운동 시 주의사항으로 옳은 것은?

① 저항운동과 유산소 운동을 병행하여 실시한다.
② 공복 시 혈당치가 200mg/dl 이상인 경우에 운동을 금지한다.
③ 운동 중 에너지 유지를 위해 식후에 바로 운동을 실시한다.
④ 대근육보다 소근육 운동을 위주로 실시한다.

■ 당뇨병이 있는 노인은 저강도에서 중간강도 수준의 유산소운동과 저항운동을 병행하여 전신운동으로 실시하는 것이 효과적이다.

필수문제

21 혈중 콜레스테롤이 240mg/dl 이상이거나 중성지방이 200mg/dl 이상이면 고지(질)혈증으로 판정한다. 고지(질)혈증 환자를 위한 운동프로그램에 대한 설명 중 옳지 못한 것은?

① 유전적 또는 환경적 요인에 의해서 발병하면 1차성 고지(질)혈증, 다른 병의 영향 때문에 발병하면 2차성 고지(질)혈증이라고 한다.
② 식이요법과 운동요법을 먼저 실시해 보고, 효과가 미미하면 약물요법을 병행하는 것이 좋다.
③ 중·저강도의 유산소운동을 30~60분 동안 하는 것이 좋다.
④ 운동을 하면 혈중 지질농도가 빠르게 감소되지만, 운동을 중지하면 2~3일 안에 운동효과가 소멸된다.
⑤ 고지(질)혈증 환자는 다른 질병이 병발될 가능성이 적다.

■ 고지(질)혈증(이상지질혈증) 환자는 대부분 다른 병을 함께 가지고 있다. 따라서 합병증이 있으면 반드시 의사와 상의한 다음에 운동을 해야 한다.

심화문제

22 이상지질혈증이 있는 노인을 위한 운동 방법으로 적절하지 않은 것은?

① 에너지 소비를 최대로 증가시키기 위해 고강도 운동을 한다.
② 하루 30~60분의 운동이 적당하다.
③ 유연성 운동, 저항운동 및 유산소 운동을 실시한다.
④ 대근육을 이용한 지속적이고 리드미컬한 형태의 운동을 한다.

■ 이상지질혈증(고지질혈증)을 관리하려면 최대산소섭취량이 50~60% 수준이 되는 중간 · 저강도의 유산소운동을 해야 한다.

정답 19 : ③, 20 : ①, 21 : ⑤, 22 : ①

23 보기와 관련된 노인 질환은?

> 보기
> • 원인 : 과도한 열량섭취와 운동부족
> • 운동법 : – 근력운동보다는 유산소운동이 더욱 효과적이다.
> – 운동과 식이제한을 병행할 경우 더욱 효과적이다.
> – 유산소운동은 대략 20분 이상 지속할 것을 권장한다.

① 류머티스 관절염　　② 고지혈증
③ 천식　　④ 골다공증

■ 고지(질)혈증은 과도한 열량섭취와 운동부족으로 지방성분이 필요 이상으로 혈액 내에 쌓여 심혈관계질환을 일키는 증상이다.

필수문제

24 비만과 관련된 내용이다. 틀린 것은?

① BMI가 25 이상이면 비만, 35 이상이면 고도비만으로 분류한다.
② 아랫배, 엉덩이, 넙다리에 지방이 축적되는 하체형 비만(여성형 비만)과 상체형 비만으로 나누고, 상체형 비만은 다시 피하지방형 비만과 내장지방형 비만으로 나눈다.
③ 건강상 문제가 되는 것은 내장지방형 비만이다.
④ 식이요법, 약물요법, 수술요법보다는 운동요법이 좋고, 두 가지 이상의 요법을 병행하면 더 좋다.
⑤ 운동요법의 효과를 높이기 위해서 하루에 1,200kcal 이하의 열량을 섭취하는 것이 좋다.
⑥ 가급적 많은 근육을 동원하여 20분 이상 운동을 해서 많은 에너지를 유산소적인 방법으로 소모하도록 운동을 해야 한다.
⑦ 당뇨병, 고혈압 등의 합병증을 가지고 있는 노인은 반드시 의사와 상의한 다음에 운동을 해야 한다.

■ 운동효과를 올리려고 너무 심하게 다이어트를 하면 영양실조에 걸릴 위험이 커진다.

심화문제

25 비만 노인의 운동방법에 대한 일반적인 설명으로 적절하지 않은 것은?

① 심폐지구력과 함께 근력운동을 권장한다.
② 규칙적 유산소운동으로 체지방율을 감소시킨다.
③ 비체중부하운동보다는 체중부하운동을 권장한다.
④ 운동강도 설정 방법으로 최대심박수(HRmax)보다는 운동자각도(RPE)를 권장한다.

■ 비만노인에게는 체중이 부하되지 않는 운동을 실시해야 한다. 체중부하운동은 무릎이나 발목관절에 무리를 줄 수 있다.

정답　23 : ②, 24 : ⑤, 25 : ③

26 대한비만학회의 비만판정 기준으로 옳은 것은?

보기		
㉠ BMI > 25		
㉡ BMI > 20		
㉢ 허리둘레	남자 > 90cm	여자 > 85cm
㉣ 허리둘레	남자 > 100cm	여자 > 90cm

① ㉠+㉢
② ㉡+㉢
③ ㉠+㉣
④ ㉡+㉣

필수문제

27 비만 노인을 위한 운동프로그램의 구성이다. 잘못된 것은?

① 국소운동보다 전신운동이 바람직하다.
② 유산소운동과 근력운동에 중점을 둔다.
③ 운동효과를 가급적이면 빠르게 얻을 수 있도록 운동량을 높게 잡는다.
④ 1회 운동시간을 적어도 20분 이상으로 한다.

■ 비만인 노인을 위한 운동프로그램에서 운동량은 처음에는 낮게 잡았다가 서서히 올려야 한다.

심화문제

28 비만 노인을 대상으로 한 운동의 효과에 대한 설명 중 가장 바른 것은?

① 일반적으로 비만치료는 운동치료보다 약물요법과 수술요법을 우선적으로 시행한다.
② 비만을 측정하는 가장 대표적인 방법은 목표심박수계산법이다.
③ 뇌졸중 위험이 있는 비만 노인에게는 서서히 운동강도를 높이는 것이 바람직하다.
④ 가벼운 산책, 자전거 타기, 수영은 비만치료에 도움이 되지 않는다.

필수문제

29 근육골격계통 질환을 가지고 있는 노인을 위한 운동프로그램으로 부적절한 것은?

① 저 강도 혹은 중간 강도의 운동
② 1회 운동 시 긴 시간보다는 짧은 시간의 운동
③ 관절이 쉴 수 있도록 인터벌 운동
④ 운동 전후 뜨거운 사우나

■ 뜨거운 사우나는 노인에게 부적절하고, 중간온도 또는 저온에서 찜질을 하는 것이 좋다.

정답 26 : ①, 27 : ③, 28 : ③, 29 : ④

심화문제

30 보기에서 근골격계 질환이 있는 노인에게 적합한 운동만을 모두 고른 것은?

보기	
㉠ 등산	㉡ 수영
㉢ 테니스	㉣ 수중 운동
㉤ 스케이팅	㉥ 고정식 자전거 타기

① ㉠, ㉡, ㉢　　② ㉡, ㉣, ㉥

③ ㉢, ㉣, ㉤　　④ ㉣, ㉤, ㉥

■근골격계 질환자에게는 ㉡ 수영, ㉣ 수중 운동, ㉥ 고정식 자전거 타기를 권장한다.

필수문제

31 퇴행성관절염에 대한 설명이다. 틀린 것은?

① 고령이나 직업적으로 특정관절을 지나치게 사용하여 관절연골이 마모되었기 때문에 발병한다.

② 관절연골이 재생되는 것을 돕기 위해서 깁스 등으로 묶어두어야 한다.

③ 근력운동과 유산소운동을 병행하는 것이 좋고, 수중운동과 실내에서 자전거 타기가 좋다.

④ 30~40%의 저강도운동을 10분 이하 실시한 다음에 반드시 쉬어야 한다.

■관절을 묶어두면 관절윤활액이 순환되지 않아서 염증이 악화되고 골다공증을 유발시킬 수 있다.

심화문제

32 관절염이 있는 노인이 운동을 할 때 주의해야 할 사항과 거리가 먼 것은?

① 근육이 피로하면 관절에 통증이 올 수 있으므로 근육의 피로를 피한다.

② 체중을 줄이면 관절염 증상을 완화시킬 수 있다.

③ 운동 시간은 짧게 자주하는 것이 좋다.

④ 합병증이 생기지 않도록 주의한다.

■관절염은 합병증이 거의 없다.

33 관절염 노인의 운동에 대한 설명으로 가장 적절한 것은?

① 운동강도는 통증 정도를 고려하여 설정한다.

② 수중운동은 운동형태로 적합하지 않다.

③ 염증 부위의 운동강도를 증가시킨다.

④ 고강도 유산소성 운동을 권장한다.

■관절염노인에게는 통증 정도를 고려하여 불편함을 느끼기 시작하는 강도보다 낮은 강도의 운동을 실시해야 한다.

정답　30 : ②, 31 : ②, 32 : ④, 33 : ①

34 **장기적으로 사용하였기 때문에 관절연골이 마모되어서 생기는 질환은?**

① 퇴행성관절염 ② 류머티스관절염
③ 골다공증 ④ 파킨슨병

■류머티스관절염은 일종의 질병이다.

필수문제

35 **요통을 예방하는 방법으로 옳은 것은?**

① 등을 굽히고 선다.
② 등을 굽히고 걷는다.
③ 장시간 계속 서 있는 것을 피한다.
④ 등을 굽히고 앉는다.

■요통환자는 등을 굽히고 서기 · 걷기 · 앉기 등은 좋지 않으며, 오랜 시간 계속해서 서 있지 않도록 한다.

심화문제

36 **요통환자를 위한 운동으로 적절하지 못한 것은?**

① 요통체조 ② 걷기
③ 접영 ④ 배영

■배영은 좋지만 접영은 요통을 더 악화시킨다.

37 **근감소증을 겪고 있는 노인이 일상생활에서 할 수 있는 근육증강훈련으로 가장 효과가 낮은 것은?**

① 느린 속도로 수영하기 ② 무게를 이용한 저항성 운동하기
③ 앉았다 일어서기 반복하기 ④ 계단 오르기 반복하기

■근육증강훈련은 저항성운동이 좋다.
■느린 속도로 하는 수영은 유산소성 운동이므로 심혈관계 질환이 있는 노인에게 좋다.

필수문제

38 **골다공증이 있는 노인의 운동에 관한 설명으로 적절하지 않은 것은?**

① 심각한 골다공증이 있는 노인에게는 최대근력검사를 권장하지 않는다.
② 통증을 유발하지 않는 중강도 운동을 권장한다.
③ 평형성 향상을 위한 운동을 권장한다.
④ 체중 지지 운동은 권장하지 않는다.

■골다공증 노인에는 체중부하운동이나 균형감을 증진시키는 운동을 권장한다.

정답 34 : ①, 35 : ③, 36 : ③, 37 : ①, 38 : ④

심화문제

39 골다공증 노인에게 운동을 지도할 때 고려해야 할 사항으로 옳지 않은 것은?

① 허리를 뒤로 젖혀서 과신전을 증가시키는 운동은 주의해야 한다.
② 체중부하운동이 불가능한 경우 수중걷기, 수중부하운동을 권장한다.
③ 골밀도를 증가시키기 위해서는 고강도 점프운동을 권장한다.
④ 근력수준에 적합한 체중부하운동과 저항성 근력운동을 실시한다.

■ 고강도 점프운동을 하면 뼈가 부러질 수도 있다.

40 골다공증을 예방하기 위한 운동방법으로 옳지 못한 것은?

① 골밀도가 감소하여 골절 가능성이 높은 상태를 골다공증이라고 한다.
② 칼슘섭취와 등산, 오르막 걷기, 자전거타기 등이 좋고, 수중운동이나 실내에서 자전거 타기는 운동효과가 거의 없다.
③ 골밀도를 증가시켜야 하므로 과격한 운동을 해야 한다.
④ 저항성 근력 운동을 해야 하고, 운동강도는 60%에서 시작해서 90%까지 늘려도 된다.

■ 과격한 운동을 하면 밀도가 개선되기 전에 골절될 위험성이 크다.

41 골다공증을 예방하기 위해서 뼈에 자극을 주는 방법으로 옳지 못한 것은?

① 정적인 자극보다는 동적인 자극을 준다.
② 평상시 부하를 받는 패턴과는 다른 패턴의 자극을 준다.
③ 칼슘과 비타민 D를 충분히 섭취한다.
④ 수중운동이나 실내에서 자전거타기가 효과적이다.

■ 체중이 실리지 않는 운동은 뼈가 튼튼해지지 않는다.

필수문제

42 보기에서 설명하는 질환은?

보기
» 진행성 신경장애-운동완서
» 근육경직-휴식 시 진전
» 자세 불안정-균형감각 장애

① 골다공증　② 파킨슨병
③ 퇴행성 관절염　④ 심근경색

■ **파킨슨병** : 신경계통의 만성 퇴행성 진행형 질환으로 떨림, 경직, 운동완서, 자세불안정 등이 나타난다.
■ **심근경색** : 심장동맥의 혈전 또는 심장동맥 경화증 때문에 순환장애를 일으켜 발작성 쇼크상태가 되는 심장질환.
■ **퇴행성 관절염**(p. 73) 참조
■ **골다공증**(p. 73) 참조

정답 39 : ③, 40 : ③, 41 : ④, 42 : ②

심화문제

43 파킨슨질환(Parkinson's disease)에 대한 설명으로 옳지 않은 것은?

① 신경전달물질인 도파민의 증가로 유발된다.
② 노인에게서 나타나는 퇴행성 신경계 질환 중의 하나이다.
③ 체형변화로 인한 부작용을 근력운동으로 지연시킬 수 있다.
④ 만성적인 진행성 질환이기 때문에 규칙적인 운동이 필요하다.

■ 파킨슨질환은 도파민의 부족 때문에 생기는 병이다.

44 다음 중에서 파킨슨병의 증상은?

① 기립성 빈혈
② 운동 완서
③ 불규칙적 호흡
④ 시력 감퇴

■ **기립성 빈혈**은 앉아 있다가 일어서면 빈혈 때문에 어지러운 것이고, **운동 완서**는 운동이 비정상적으로 완만하거나 육체적 · 정신적 반응이 둔한 상태를 말한다.

필수문제

45 뇌졸중 노인을 위한 운동지도에서 고려해야 할 사항으로 옳은 것은?

① 똑바로 선 상태에서 스텝핑 운동을 빠르게 하도록 한다.
② 마비가 안 된 쪽에 집중적으로 스트레칭 운동을 실시하도록 한다.
③ 낙상위험 때문에 균형감각과 기동성 향상을 위한 운동을 실시하지 않는다.
④ 우측마비 노인의 경우, 언어지시보다 행동적 시범을 보인다.

■ 뇌졸중 노인은 빠른 스텝핑 운동을 하기 어렵다.
■ 마비된 쪽의 관절이 굳는 것을 방지하기 위해 관절가동범위 운동을 한다.
■ 편마비로 인해 한쪽 팔다리를 사용하지 못하므로 균형감각을 키우는 운동이 필요하다.

심화문제

46 혈전이나 출혈에 의해서 뇌 순환 기능에 이상이 생긴 질병은?

① 고혈압
② 뇌졸중
③ 심장병
④ 치매

정답 43 : ①, 44 : ②, 45 : ④, 46 : ②

필수문제

47 치매는 뇌기능이 손상되어 일상생활에 지장을 받을 정도로 기억력의 감소, 언어 및 이해력의 장애, 사고능력의 장애 등이 발생한 상태이다. 다음 치매환자의 운동에 대한 설명 중 틀린 것은?

① 뇌신경세포의 퇴화 및 변성에 의한 알츠하이머형 치매는 치료가 어렵고, 뇌로 가는 혈관이 막히거나 터져서 생기는 혈관성 치매는 유발요인을 개선하면 치료효과가 높다.
② 뇌에 신선한 산소를 공급하고 뇌신경세포에 자극을 주어 활성화시키는 것이 운동의 목적이다.
③ 오전에, 거의 매일, 규칙적으로, 걷기와 같은 일상생활에 필요한 신체의 움직임을 연습하는 것이 좋다.
④ 지도자나 보호자가 있는 상태에서 넘어지지 않게 주의하여야 하고, 이중과제나 마사지는 피하는 것이 좋다.

■ 물 컵 들고 걷기와 같은 이중과제는 주의력을 향상시킬 수 있어서 좋고, 마사지는 뇌신경세포에 자극을 주는 효과가 있으므로 적극 권장한다.

심화문제

48 노인 치매에 대한 설명 중 옳지 않은 것은?

① 노인 치매는 치료가 어렵고, 삶의 질을 저하시키는 아주 큰 요인이다.
② 알츠하이머병이나 파킨슨병과 같은 뇌질환이 원인인 치매를 비가역성 치매 또는 1차적 치매라고 한다.
③ 알코올, 화학물질, 비타민결핍 등이 원인인 치매를 가역성 치매 또는 2차적 치매라고 한다.
④ 가역성 치매는 치료가 불가능하다.

■ 가역성 치매라는 말은 원래상태로 되돌릴 수 있는 치매라는 뜻이다.

49 치매 예방에 별로 도움이 되지 못하는 것은?

① 영양섭취 ② 지적 활동 ③ 수면시간 단축 ④ 규칙적인 운동

■ 수면시간을 늘리고 숙면을 하면 치매예방에 도움이 된다.

50 알츠하이머형 치매의 증상이 아닌 것은?

① 기억상실 ② 과잉반응 ③ 의사소통의 어려움 ④ 근육의 약화

■ 치매에 걸렸다고 힘이 없어지는 것은 아니다.

51 치매 노인을 위한 운동지도에서 고려해야 할 사항으로 옳지 않은 것은?

① 운동프로그램을 단순하게 구성하고 잔존 운동기술을 강화하도록 한다.
② 집중 시간이 짧으므로 운동을 하면서 숫자를 세거나 박수를 치도록 한다.
③ 불안과 초조함을 경감시킬 수 있도록 스트레칭을 지도한다.
④ 복잡한 운동 동작은 한 번에 자세하게 설명해 주어야 한다.

■ 치매노인은 지능 · 의지 · 기억 등의 전신 기능이 현저하게 감소하므로 복잡한 동작은 도움이 되지 않는다.

정답 47 : ④, 48 : ④, 49 : ③, 50 : ④, 51 : ④

52 **노인들은 건강 및 기능상태가 아주 다양하므로, 건강상태에 따라서 의료 및 보건의 목표가 다르다. 다음 중 건강상태와 의료 및 보건의 목표가 잘못 짝지어진 것은?**

① 건강노인 : 허약 및 장애의 예방 ② 허약노인 : 치료 및 기능상태의 극대화
③ 치매노인 : 완치 또는 재활 ④ 종말기 노인 : 완화

■ 치매 노인에게는 보호 및 완화요법이 필요하다.

53 **노인 치매에 대한 설명 중 옳지 않은 것은?**

① 치료가 어렵고, 삶의 질을 저하시키는 질병이다.
② 알코올, 약물, 비타민결핍 등이 원인인 치매를 2차 치매 또는 가역성 치매라 한다.
③ 가역성 치매는 원인을 제거해도 치료효과가 거의 없다.
④ 뇌질환을 동반한 치매를 비가역성 치매 또는 1차 치매라고 한다.

■ 가역성 치매는 원래 상태로 되돌릴 수 있는 치매라는 뜻이다.

54 **인지능력이 저하된 노인을 지도할 때 적합한 방법은?**

① 대화와 운동의 템포를 늦춘다. ② 지시를 다양하게 제시해 준다.
③ 다채로운 시각자료를 사용한다. ④ 반복적인 학습이 좋다

55 **치매 노인의 신체활동 효과 및 운동지침으로 가장 적절한 것은?**

① 중증 치매 노인의 경우, 그룹운동이 개별운동보다 더 효과적이다.
② 단순하고 반복적인 운동보다는 복잡하고 새로운 운동을 권장한다.
③ 뇌에 산소공급량을 감소시키고 신경세포 활성에 도움을 준다.
④ 지도자나 보호자를 동반하여 운동을 실시한다.

■ 중증치매 노인은 자신에게 적합한 운동을 선택하기 위해 반드시 운동처방을 받아야 하므로 그룹운동보다는 개별운동으로 진행해야 한다.
■ 치매노인은 새로운 활동이나 운동에 참여하는 데 불편함을 느끼므로 보호자가 운동 프로그램에 반드시 참여해야 한다.

56 **노인의 치매 예방을 위해서 필요한 것이 아닌 것은?**

① 규칙적인 운동 ② 지적 활동
③ 수면시간의 단축 ④ 균형 잡힌 영양 섭취

■ 수면시간을 단축하면 치매의 위험성이 커진다.

57 **치매 노인을 위한 보건 또는 운동 목표를 잘못 설명한 것은?**

① 현재의 기능 상태를 최대한 보존한다.
② 질병의 진행을 완화시키려고 노력한다.
③ 신체 및 인지기능이 개선될 가능성이 전혀 없으므로 포기한다.
④ 심장혈관계통 질환이나 낙상으로 인한 합병증이 생기지 않도록 주의한다.

■ 치매노인에게 운동을 실시하면 인지력이 어느 정도 개선된다.

정답 52 : ③, 53 : ③, 54 : ④, 55 : ④, 56 : ③, 57 : ③

58 알츠하이머 질환이 있는 노인을 대상으로 운동 프로그램을 실시할 때 적절하지 않은 것은?

① 병이 진행됨에 따라 보호자가 환자를 운동 프로그램에 데려오고 싶지 않은 것에 대처한다.

② 노인환자가 운동프로그램이나 운동환경에 흥분할 수도 있는 행동의 변화를 고려한다.

③ 노인환자의 신체 및 정신적 건강이 쇠퇴하면서 생기는 문제에 대처한다.

④ 운동 프로그램은 가능한 어렵고 복잡한 동작 위주로 구성한다.

■ 알츠하이머 환자에게 운동을 실시할 때는 운동강도가 낮고 간단한 동작 위주로 해야 한다.

59 노인의 만성질환에 따른 운동의 효과에 대한 설명으로 적절하지 않은 것은?

① 비만 노인은 체지방량이 감소되고 제지방량이 증가된다.

② 당뇨 노인은 혈당량이 감소되고 인슐린 감수성이 향상된다.

③ 골다공증 노인은 골밀도 감소가 개선되고 낙상이 예방된다.

④ 치매 노인은 기억력이 감소되고 인지력 저하가 개선된다.

■ 치매노인에게 운동을 실시하면 치매로 인해 쇠퇴한 신경전달물질이 효과적으로 작용하여 뇌세포의 노화를 지연시키므로 기억력 회복과 인지력 개선에 도움이 된다.

필수문제

60 보기의 특성을 보인 노인에게 미국스포츠의학회(ACSM)가 제시한 관상동맥질환의 위험인자를 모두 제시한 것은?

» 연령 : 71세, 성별 : 여자, 신장 : 158 cm, 체중 : 54 kg
» 가족력 : 어머니는 54세에 심혈관 질환으로 돌아가셨다.
» 허리둘레 : 79 cm
» 총콜레스테롤 : 200 mg/dL
» 고밀도지단백질 콜레스테롤 : 30 mg/dL
» 공복혈당 : 135 mg/dL
» 안정 시 혈압 : 190 mmHg / 90 mmHg
» 10대 때 흡연(하루에 20개 피 이상)
» 평생 전업주부로 생활하고 현재 특별한 신체활동은 하지 않았다.

① 연령, 가족력, 허리둘레, 혈압, 흡연

② 비만, 공복혈당, 혈압, 흡연, 신체활동

③ 가족력, 총콜레스테롤, 고밀도지단백질 콜레스테롤, 혈압, 신체활동

④ 허리둘레, 총콜레스테롤, 고밀도지단백질 콜레스테롤, 공복혈당, 혈압

■ 관상동맥질환의 기준
■ 연령 : 남자 45세, 여자 55세
■ 허리둘레 : 남자> 102cm, 여자 >88cm
■ 총콜레스테롤 : 200mg/dℓ 미만
■ 고밀도지(질)단백질 콜레스테롤 : 40mg/dℓ 이상
■ 공복혈당 : 126mg/dℓ 정상
■ 안정시혈압 : 100~120mmHg/70~80 mmHg
■ 신체활동 : 부족

정답 58 : ④, 59 : ④, 60 : ③

05 Chapter 노인체육의 효과적인 지도

의사소통 기술

1 노인스포츠지도사가 수행해야 할 역할

☞ 체육교사의 역할……신체활동의 원리와 방법 등을 알려주는 역할

☞ 복지 안내자의 역할……노인 복지정책과 그 이용 방법 등을 알려주는 역할.

☞ 건강 관리사의 역할……노인들의 건강을 관리해주는 역할.

☞ 상담사의 역할……노인들의 이야기를 들어주고 문제해결을 도와주는 역할.

☞ 홍보 및 보급 담당자의 역할……노인들이 지속적으로 운동할 수 있게 만드는 역할.

위와 같은 역할을 효과적으로 수행하기 위해서는 노인스포츠 지도사는 다음과 같은 마음가짐을 가져야 한다.

☞ 예의 바른 마음……노인들을 자신의 부모님처럼 공경하고 예의 바르게 대하려는 마음을 가져야 노인들과 소통을 잘 할 수 있다.

☞ 따뜻한 마음……따뜻한 마음으로 노인들을 대해야 마음을 서로 주고받을 수 있어 뜻 깊은 관계를 형성할 수 있다.

☞ 겸손한 마음……단호하지만 권위적이지 않고, 확실하지만 겸손한 마음을 가져야 노인들이 지도자를 믿고 따를 수 있다.

☞ 인내하는 마음……노인들에게는 물론이고 자기 자신에게도 참고 기다려야 원하는 목표를 달성할 수 있다.

2 노인들과 의사소통 방법

▶ 타인과 의사소통이 잘 안 되는 이유

☞ 상대의 말을 귀 기울여 들으려 하지 않기 때문이다.

☞ 말하는 사람과 듣는 사람이 신념, 경험, 생각의 깊이가 다르기 때문에 같은 말도 다르게 들리고, 다르게 해석될 수 있다.

☞ 자유롭게 표현할 수 있는 분위기가 아니기 때문이다.

☞ 듣고 싶은 이야기만 골라서 들으려 하기 때문이다.

▶ 좋은 의사소통의 요소

좋은 의사소통이 되려면 말하는 사람과 듣는 사람이 다음과 같은 요소를 갖추고 있어야 한다.

☞ 공감(empathy. 귀담아 듣기)……상대방의 입장이 되어서 그 사람의 생각과 감정을 인정해주는 것이다.

☞ 주장(assertiveness, 자기표현)……자신의 의사를 상대에게 전달하는 1차적인 책임은 말하는 사람에게 있다. 상대방이 자신의 의사를 잘 못 인식하고 있는 것 같으면 자신의 의사를 분명하고 정확하게 표현할 수 있는 다른 방법을 찾아봐야 한다.

☞ 존중(respect)……상대방을 설득시키려고 한다든지, 깔아뭉개버리려는 태도를 보이면 안 되고 상대를 존중하는 자세로 대해야 한다.

▶ 노인과의 의사소통 기술

☞ 임파워먼트……노인과 상담 또는 대화를 할 때 노인의 능력을 믿어주고, 노인에게 필요한 사회적 자원을 획득할 수 있도록 도와주는 것을 말한다.

☞ 감각과 지각의 증대……노인들은 감각기관의 기능 쇠퇴로 의사소통을 하고 집중하는 데에 걸림돌이 되는 경우가 많다.

☞ 뇌와 관련된 질병……뇌와 관련된 질병으로 실어증, 실독증, 실서증, 실행증, 구음장애 등을 앓고 있는 노인과 의사소통을 하기 위해서는 증세에 맞는 소통기술을 알고 있어야 한다.

☞ 존경하는 마음으로……노인과 대화할 때에는 반드시 경어를 사용해야 하고, 노인이 불리고 싶어 하는 호칭으로 불러야 한다.

☞ 가까이서……노인과 이야기 할 때에는 가급적이면 가깝게 다가가서, 낮고 똑똑한 목소리로, 눈을 마주보면서 이야기해야 한다.

☞ 충분한 시간을 가지고……노인과 이야기할 때에는 서둘지 말고 시간을 가지고 천천히 이야기해야 하고, 충분히 의사소통이 되었는지 확인해봐야 한다.

☞ 질문은 간단하게 ……노인과 이야기할 때에는 가급적 간단한 문장으로, 한 가지 내용씩 질문해야 한다.

☞ 개인적인 문제는 조심해서……노인들은 자신의 문제가 남에게 노출되는 것을 싫어한다.

☞ 비언어적 표현에 주의해야……노인과 대화할 때에는 비언어적인 의사소통에 민감해야 한다. 말로는 아무렇지 않다고 하면서 실제로는 몹시 괴로워하는 것은 표정이나 몸짓 또는 자세를 보면 알 수 있다.

☞ 조심성……노인들은 조심성이 많아서 한 가지 질문에 대한 대답도 한참 생각했다가 말을 골라서 하려고 한다.

☞ 의존성……노인들은 나이가 들수록 의존성이 커진다. 그래서 이야기를 더 하면서 같이 있고 싶어 하고, 일부러라도 무엇을 부탁해서 자기와 가까이 하려고 한다.

☞ 자녀처럼……노인이 스포츠지도사를 자녀처럼 보게 만들면 안 된다. 그러면 노인이 말도 안 듣고 오히려 스포츠지도사를 훈계하려고 한다.

☞ 무능력자……스포츠지도사가 노인을 힘도 없고 능력도 없는 무능력자로 보면 절 대 안 된다.

☞ 노인은 자신의 건강문제에 대하여 자세히 설명하려고 한다. 이야기는 끝까지 듣되, 도와드리는 데에 한계가 있다는 것을 분명히 해야 한다.

3 노인운동의 지도기법

▶ 노인들을 교육할 때 적용해야 할 기본원리

☞ 자발성의 원리……노인들은 경험과 지식이 풍부하므로 강압적·타율적 교육은 안 되고 자발성을 기초로 이루어져야 한다.

☞ 경로의 원리……노인이 교육을 받으러 온 것은 소외감이나 좌절감을 극복하려고 또는 소일거리의 하나로 온 것이지 무엇을 배워서 써먹어야겠다는 생각으로 온 것이 아니다. 그러

므로 교사는 경로사상을 가지고 노인 학생들을 대해야 한다.

☞ 사제동행의 원리……노인 교육에서는 학생과 교사가 동등한 입장이고, 교사와 학생의 상호 합의에 의해서 교육이 이루어지므로, 모든 교육활동을 학생과 교사가 동행해야 한다.

☞ 생활화의 원리……노인들에게 가르치는 내용과 방법이 일상생활과 밀접한 관련이 있어야 한다.

☞ 직관의 원리……노인들은 문자로 된 책을 읽는 것보다 비디오로 보거나 다른 감각 기관을 통해서 직접적으로 느끼는 것을 좋아한다.

☞ 개별화의 원리……지적 능력, 학력, 흥미, 성격, 경험, 건강상태, 생활수준, 경제력 등이 노인들 상호간에 차이가 아주 심하므로 개별화 학습이 필요하다.

☞ 경험의 원리……노인들은 자기에게 친숙하거나, 흥미를 가지고 있거나, 자신에게 의미가 있는 과제를 주면 열심히 하고 그렇지 않은 것은 방치해버리기 쉽다.

☞ 사회화의 원리……노인을 교육하는 가장 중요한 목표 중의 하나가 급격하게 변하는 사회적 환경에 노인이 적응할 수 있도록 돕는 것이다.

☞ 다양화의 원리……노인을 교육할 때는 주입식 교육보다는 다양한 체험·활동을 통한 교육이 필요하다.

▶ 노인 운동 지도의 6단계

⑧ 제1단계 : 참가자들의 기대와 운동 목표 살피기

노인 체육교실 참가자들은 그 운동프로그램의 효과에 대하여 상당한 기대를 갖고 있다.

⑧ 제2단계 : 참가자들의 개인 목표 정하기

참가자가 자신의 목표를 스스로 결정할 수 있도록 도와주는 것이다.

⑧ 제3단계 : 피드백 제공하기

운동 중에 피드백을 제공하고, 운동 목표를 향한 진행상황을 수시로 점검한다.

⑧ 제4단계 : 보상과 인센티브 제공하기

체육교실에 참여한 노인 중에서 자신이 설정한 목표를 달성하거나 초과 달성한 노인을 여러 사람이 알 수 있도록 칭찬해주는 것이다.

⑧ 제5단계 : 걸림돌 극복하기

운동을 하다가 보면 방해가 되는 걸림돌을 만날 때가 많다. 걸림돌을 제거하는 가장 알맞은 방법은 본인이 가장 잘 알고 있으므로 본인이 걸림돌을 극복할 수 있도록 옆에서 도와주면 된다.

⑧ 제6단계 : 운동을 지속하게 만들기

대부분의 노인 체육교실은 3~6개월 단위로 새로운 참가자들을 모집한다. 그러므로 체육교실에 참가했던 노인들끼리 모임을 만들어서 운동을 지속적으로 할 수 있는 준비를 하도록 유도해야 한다.

노인 운동의 위험관리

1 노인 운동시설의 안전관리

▶ 시설의 안전관리

노인 운동참여자들이 안전하게 운동할 수 있도록 다음 사항을 지켜야 한다.

☞ 어떠한 응급상황에도 신속하게 대응할 수 있도록 응급조치 계획을 세운 다음 그 내용을 눈에 잘 띄는 곳에 게시해야 한다.
☞ 노인스포츠지도사들을 대상으로 응급조치 훈련을 정기적으로 해야 한다.
☞ 운동에 참여한 노인들 중에 신체에 이상이 있는 사람은 없는지 운동 시작 전에 확인해야 한다.
☞ 노인스포츠지도사는 반드시 심폐소생술을 실시하는 방법을 알아야 한다.
☞ 노인스포츠지도사는 시설과 장비의 사용 방법을 잘 알고 있어야 하고, 노인 운동 참여자가 올바른 방법으로 이용할 수 있도록 지도해야 한다.
☞ 노인들이 운동하는 동선을 파악하여 운동시설과 장비를 안전하게 배치해야 한다.
☞ 운동장비의 사용방법과 사용 시 주의사항을 적절한 장소에 게시해야 한다.
☞ 운동시설과 장비를 설치할 때에는 제조업자가 권고하는 방법을 따라야 한다.
☞ 운동시설과 장비의 안전점검 일지를 매일매일 기록하고, 이상 유무를 반드시 체크해야 한다.

▶ 환경과 장소의 안전관리
☞ 운동하는 장소에 위험한 물건이나 건강에 해로운 물질이 없는지 잘 살펴보아야 한다.
☞ 무덥고 다습한 환경, 춥고 건조한 환경, 직사광선이 내려 쪼이는 곳, 너무 소란한 곳에서 운동하는 것은 피해야 한다.
☞ 수중운동을 할 때에는 수온과 물의 깊이를 체크해야 하고, 보온 대책과 응급처치 방법을 미리 강구해야 한다.
☞ 노인들은 대부분 시각과 청각에 어느 정도의 이상이 있다는 것을 염두에 두고 장소를 선택해야 한다.

▶ 응급상황의 관리
☞ 운동을 시작하기 전에 반드시 참가자들의 건강상태를 체크해야 한다.
☞ 심장병을 앓고 있거나 심장병을 앓은 병력이 있는 사람이 있으면 운동강도를 바꿀 때마다 체크해야 한다.
☞ 당뇨병환자가 있으면 사탕이나 초콜릿을 준비해두어야 한다.
☞ 노인들은 빨리 피로를 느끼므로 운동 중간중간에 쉬면서 해야 한다.
☞ 응급상황이 발생했을 때 119와 가족에게 연락할 수 있는 비상연락망을 갖추어 놓아야 한다.
☞ 응급상황에 지도자가 당황하면 안 된다. 지도자는 자신이 어떤 처치를 직접 하는 것보다는 운동 참가자들이 처치를 할 수 있도록 지시하는 것이 더 중요하다.
☞ 심폐소생술을 적용할 수 있도록 항상 AED를 준비해두고 있어야 한다.

2 일반적인 응급처치법

어떠한 긴급상황에서든 다음의 기본적인 행동단계를 지켜야 한다.

상황판단 → 응급처치 장소를 안전하게 → 환자를 1차평가방법으로 평가 → 가장 심하게 손상당한 환자부터 응급처치

▶ 상황판단하기

현장 상황을 정확하게 판단하는 것이 사고관리에서 가장 중요하다. 침착한 자세로 안전에 위협이 되는 것이 무엇인지 확인하고, 동원 가능한 인력·장비·도구 등을 판단한다. 사고의 원인은 무엇이고, 몇 사람이 관련되어 있으며, 어린이나 노인은 없는지 알아본다.

▶ 장소를 안전하게 만들기

사고가 발생하도록 만든 장소에는 위험요소가 아직도 존재하고 있으므로 가능하면 제거해야 한다. 환자에게 접근할 때는 자신을 스스로 보호해야 한다. 현장에서 구출이 늦어지면 환자가 추가로 손상당하지 않도록 보호해주어야 한다. 장소를 안전하게 만들 수 없으면 119구급대를 부르고, 구급대원이 안전을 확보할 때까지 조용히 기다린다.

▶ 응급처치하기

안전한 장소가 확보되면 신속하게 환자를 1차평가해서 처치할 우선순위를 먼저 결정한다. 처치는 가능한 한 제자리에서 하고, 위험에 직면해 있거나 생명이 위태로운 경우에만 자리를 옮긴다. 가능하면 주위 사람들의 협조를 요청한다.

▶ 구급대원 돕기

구급대원이 도착하면 구급대원의 질문에 성실히 답하고, 구급대원의 지시에 따라야 한다.

▶ 환자 평가하기

☞ 환자를 평가할 때에는 맨 먼저 생명을 위태롭게 하는 손상이나 증상이 있는지 알아내는 것이 필요하다(1차평가).

☞ 생명을 위협하는 무엇을 발견하려면 ABC 체크의 순서로 확인해야 한다.

· Airway(기도) : 기도가 열려 있고 이물질이 들어 있지는 않는가?

· Breathing(호흡) : 환자가 정상적으로 숨을 쉬는가? 환자가 숨을 쉬지 않으면 즉시 119에 신고한 다음 인공호흡과 함께 가슴압박을 시작한다.

· Circulation(순환) : 환자가 심하게 피를 흘리고 있는가?

3 운동 정지 조건

노인의 운동지도 시에 다음과 같은 경우에는 운동을 중지시켜야 한다.

☞ 협심증과 유사한 증상을 보일 때

☞ 안정시 혈압이 20mmHg 이하로 감소되거나 운동강도를 높여도 수축기혈압이 증가하지 않을 때

☞ 수축기혈압이 260mmHg 이상이거나 확장기혈압이 115mmHg 이상일 때

☞ 땀을 흘리지 않거나, 어지럼증이나 혼란을 겪거나, 불안정하거나, 창백해 보이거나, 입술이 파래졌을 때

☞ 심각하게 피로해 보이거나 피로하다고 할 때

☞ 운동강도를 증가시켜도 심박수에 변화가 없을 때

☞ 운동 중단을 요청할 때

필수 및 심화 문제

필수문제

01 **다음은 노인스포츠 지도 시 사용할 수 있는 방법들에 대한 설명이다. 잘못된 것을 모두 고르시오.**

① 시범은 올바른 방법을 반복해서 보인다.
② 시범을 보이는 동안 자세하게 설명해준다.
③ 노인들은 한 번에 받아들일 수 있는 언어적 정보의 양이 일반 성인보다 적고, 기억할 수 있는 시간도 짧다.
④ 그러므로 노인들에게는 많은 양의 언어적 정보를 제공해야 기억하는 양이 일반 성인과 비슷해진다.
⑤ 언어적 암시는 짧고 간결한 단어나 어구를 사용하여, 하고 싶은 동작의 특성이나 목표에 집중할 수 있도록 일깨워주는 것이다.
⑥ 그러므로 언어적 암시는 전체적인 동작의 수행과정을 상세하게 묘사할 수 있는 것이어야 한다.
⑦ 운동 참가자들은 자신이 운동을 수행하는 동안 여러 가지 감각기관을 통해서 피드백 정보를 얻는다.
⑧ 그러므로 노인스포츠 지도사가 운동 참가자들에게 피드백을 제공하면 혼란을 야기하므로 피드백을 주지 않는 것이 좋다.
⑨ 그러나 초보자에게는 보강피드백을 많이 줄수록 좋다.

■ ④, ⑥, ⑧, ⑨는 일부러 반대로 써서 문제를 낸 것이다.

필수문제

02 **도입 - 전개 - 정리 단계로 진행되는 노인체육수업에서 전개 단계의 지도 전략으로 가장 적절한 것은?**

① 긍정적인 피드백을 제공한다.
② 지난 수업내용에 대해 다시 설명한다.
③ 수업시간에 진행될 사항을 설명한다.
④ 참여자들이 성취한 것을 정리한다.

■ 전개단계에서는 긍정적인 피드백을 수시로 주어야 한다.
■ **도입단계** : 지난 수업 내용 및 진행할 수업 내용 설명
■ **전개단계**: 프로그램 수행에 맞춰 긍정적인 피드백 제공
■ **정리단계**: 참여자들의 의견 정리

정답 01 : ④, ⑥, ⑧, ⑨, 02 : ①

심화문제

03 다음 중 노인스포츠 지도사의 역할과 거리가 먼 것은?

① 노인스포츠 활동의 목표를 설정한다.
② 안전사고를 예방하고 시설을 관리한다.
③ 효과적인 지도기법을 개발한다.
④ 노인들의 운동수행을 도와준다.

■ 노인들이 자발적으로 운동에 참여하여 지속적으로 수행할 수 있도록 동기를 부여해야 한다.

04 노인스포츠 지도사가 훌륭한 교육자의 역할을 수행하기 위해서 갖추어야 할 능력은?

① 운동하기 싫어하는 노인은 빨리 운동 이외의 것으로 방향을 돌려주는 능력
② 자신감 있고 상냥한 태도
③ 자신의 의사를 명확하게 표현할 수 있는 능력
④ 노인 참여자의 의견을 적극적으로 경청하는 의사소통 능력

■ ①, ②, ③ 모두 갖추는 것이 좋지만, 교육자의 역할을 수행하기 위해서는 의사소통능력이 가장 중요하다.

05 다음 중 노인스포츠 지도의 원칙과 거리가 먼 것은?

① 일상적인 생활 특성의 고려　② 자발적인 참여
③ 단체적인 목표달성　④ 통합성과 협동성의 융합

■ 개인적인 흥미와 동기유발이 중요하다.

06 노인에게 운동을 지도할 때 주의사항으로 적절하지 않은 것은?

① 탈수증상을 대비하여 수분을 미리 보충하게 한다.
② 낙상의 위험을 최소화하기 위해 적절한 신발을 착용하게 한다.
③ 운동강도를 높일수록 단열성이 높은 의복을 착용하게 한다.
④ 추운 환경에서는 준비운동을 평소보다 오랜 시간 진행하도록 한다.

■ 운동강도가 높을 때에는 통기성이 좋은 의복을 착용하게 한다.

필수문제

07 보기에서 노인의 의사소통 방법이 적절한 것으로 묶인 것은?

보기
㉠ 공감하며 경청한다.
㉡ 분명하고 명확하게 말한다.
㉢ 한 번에 많은 정보를 전달한다.
㉣ 신체접촉을 사용하지 않는다.
㉤ 시각적 도구는 쉽게 읽을 수 있게 만든다.

① ㉠, ㉡, ㉤　② ㉠, ㉡, ㉢　③ ㉡, ㉢, ㉣　④ ㉡, ㉣, ㉤

■ **노인 스포츠지도사의 의사소통 기술 및 원칙**
- 효과적인 의사소통에는 언어적, 비언어적, 자기주장기술 등이 있음.
- 내용을 명확하게 간결하게 전달할 것.
- 전문용어나 어려운 단어 사용하지 말 것
- 참여자와 자주 눈을 마주치고 정면에서 바라볼 것.
- 요점만 설명할 것.
- 적절한 신체접촉을 사용할 것.

정답 03 : ④, 04 : ④, 05 : ③, 06 : ③, 07 : ①

심화문제

08 노인운동 지도 시 의사소통에 관한 설명으로 옳은 것은?

① 어린아이를 다루듯 말한다.
② 스킨십은 사용하지 않는다.
③ 소리를 질러가며 말하지 않는다.
④ 대상자를 정면에서 쳐다보는 언어적 기술을 사용한다.

▪노인과 의사소통을 할 때 소리를 질러가면서 말을 해서는 안 된다.

09 노인과의 올바른 의사소통 방법이 아닌 것은?

① 노인이 원하는 존칭을 사용한다.
② 어린아이를 다루듯 말한다.
③ 분명하고 천천히 말한다.
④ 따뜻한 표정으로 비언어적 의사소통을 사용한다.

▪노인과 의사소통 시에는 존중하는 마음으로 대화를 해야지 어린아이 다루듯 해서는 안 된다.

10 청각장애가 있는 노인과 효과적으로 대화할 수 있는 방법 중 잘못된 것은?

① 가급적 큰 소리 또는 고음으로 말한다.
② 귀에 대고 말을 하지 않는다.
③ 눈을 맞추고 이야기한다.
④ 간단하고 쉬운 용어를 사용하고, 입모양이 잘 보이도록 말한다.

▪큰 소리로 말하면 듣기 힘들 뿐만 아니라 말이 불분명해진다. 노인성 난청은 대부분 고음청취력의 손상이 원인이다.

11 다음 중 노인스포츠 지도의 목표와 거리가 먼 것은?

① 탐구감각의 향상
② 의사결정 능력과 독립심 배양
③ 자긍심 향상
④ 사회적 관계 촉진

▪노인의 자긍심은 고집으로 이어지기 쉽기 때문에 협동심을 배양해야 한다.

12 노인과 의사소통을 효과적으로 하기 위한 방법이 아닌 것은?

① 노인들에게 지도자의 관심을 진실 되게 표현한다.
② 수업에 참가한 노인들을 존중하는 태도로 대한다.
③ 참가자의 말을 경청한다.
④ 수업이 끝나면 가급적 빨리 자리를 떠난다.

▪수업 종료 후에는 시간을 할애하여 참가자들과 이야기하고 질문에 답변하는 것이 좋다.

정답 08 : ③, 09 : ②, 10 : ①, 11 : ③, 12 : ④

필수문제

13 보기에서 괄호의 ㉠과 ㉡에 공통적으로 들어갈 용어는?

보기
» (㉠)은/는 하나의 단어 또는 짧고 간결한 어구를 사용하는 것을 의미한다.
» (㉡)은/는 기술의 결정적 측면이나 부분을 일깨워주는 역할을 한다.

① 운동학습 ② 피드백 ③ 언어적 암시 ④ 시범

■ 스포츠지도자의 운동학습 지도원리
· 시범
· 언어적 지도
· 언어적 암시
· 보강피드백
· 연습환경 조성

필수문제

14 보기의 ㉠, ㉡에 해당하는 노인운동 교육의 원리와 설명이 바르게 나열된 것은?

보기
» (㉠)–지적 능력, 학력, 흥미, 성격, 경험, 건강상태 등 개개인의 학습 욕구를 충족시켜줄 수 있는 방법을 모색한다.
» (㉡) – 지도자와 학습자 간의 동등한 관계에서 출발하여 교육활동 전반에서 상호 간의 합의를 이루도록 한다.

	㉠	㉡
①	다양화의 원리	사회화의 원리
②	개별화의 원리	사제동행의 원리
③	개별화의 원리	사회화의 원리
④	다양화의 원리	사제동행의 원리

■ ㉠은 개별화의 원리
■ ㉡은 사제동행의 원리(p.95 참조)

필수문제

15 보기는 노인스포츠 참가자들이 자기효능감을 높일 수 있는 지도방법을 순서 없이 나열한 것이다. 단계가 순서대로 잘 정리된 것은?

보기
㉠ 참가자들의 기대치 살피기
㉡ 문제해결 방법을 사용하여 장애를 극복하기
㉢ 보상과 인센티브 사용하기
㉣ 장기적으로 참여할 수 있도록 유도하기
㉤ 개인목표 정하기
㉥ 피드백 제공과 목표 점검하기

① ㉠㉡㉢㉣㉤㉥ ② ㉠㉤㉥㉢㉡㉣
③ ㉠㉡㉢㉥㉤㉣ ④ ㉠㉢㉡㉤㉥㉣

■ 노인 운동지도의 6단계
· 제1단계 : 참가자들의 기대와 운동목표 살피기
· 제2단계 : 참가자들의 개인목표 정하기
· 제3단계 : 피드백 제공하기
· 제4단계 : 보상과 인센티브 제공하기
· 제5단계 : 걸림돌 극복하기
· 제6단계 : 운동을 지속하게 만들기

정답 13 : ③, 14 : ②, 15 : ②

심화문제

16 행동주의적 지도방법이 아닌 것은?

① 개별상담을 통해 운동의 중요성을 인식하게 한다.
② 체육관 복도에 출석률을 게시한다.
③ 성공적인 운동참여에 대해 긍정적 강화를 제공한다.
④ 런닝머신 걷기를 할 때만 좋아하는 연속극을 시청하게 한다.

■ 행동주의 학습이론 : 지속적인 운동참여를 위한 동기유발방법. 행동의 변화에 초점을 두고 그 변화를 촉진시키는 자극 또는 강화를 정밀하게 계획하여 습득한 지식이 행동의 변화로 나타난다는 이론.
■ ①은 정신과정을 중요시하는 인본주의적 지도방법이다.

17 노인의 단기기억 문제를 고려한 지도방법으로 옳지 않은 것은?

① 각자의 페이스로 동작을 수행하도록 한다.
② 동작을 단순화하여 반복적으로 시범을 보여준다.
③ 동작의 속도와 방향을 다양하게 한다.
④ 심상훈련을 활용한다.

■ 동작의 속도와 방향을 다양하게 하면 노인들이 따라하기 어렵다.

18 신체적 의존 수준의 노인을 위한 운동을 계획할 때 우선적으로 고려해야 할 사항이 아닌 것은?

① 신체기능 수준을 유지하거나 향상시킬 수 있는 움직임을 적용해야 한다.
② 일상생활에 즉각적으로 필요한 움직임이어야 한다.
③ 일상생활의 기능 향상에 도움이 되는 움직임이어야 한다.
④ 일단 운동을 정했으면 목표가 달성될 때까지 꾸준히 한다.

■ 더 안전한 다른 운동이 없는지 지속적으로 고려해야 한다.

19 ACSM(미국 대학스포츠의학회)에서 제시한 노인의 건강·체력 시설 기준 및 지침에 해당되지 않는 것은?

① 노인 운동 시설과 관련된 법률, 규정, 규범을 준수한다.
② 장비사용에 대한 설명과 위험에 대한 경고를 게시한다.
③ 응급 대처 훈련은 지도자들의 선택사항이다.
④ 지도자가 전문능력을 갖추고 있는지를 증명하도록 요구한다.

■ ACSM의 건강/체력 시설 기준 및 지침
- 어떠한 응급상황에서도 신속하게 반응할 수 있어야 함.
- 응급대처계획을 게시해 놓고, 모든 직원에게 정기적으로 응급대처훈련 실시
- 프로그램의 안전을 위해 신체활동 시작 이전에 참가자 선별
- 심폐소생술(CPR) 및 응급처치 자격증을 포함한 전문능력 자격증을 가진 지도자
- 장비사용방법 및 사용에 관련된 위험사항 게시
- 관련된 법률 및 규정 등의 준수

정답 16 : ①, 17 : ③, 18 : ④, 19 : ③

필수문제

20 노인운동 시의 위험 관리 항목과 방법이 바르게 연결된 것은?

① 환경과 장소 안전 : 참가자 중 당뇨 환자가 있을 경우, 사탕이나 초콜릿을 준비해 둔다.
② 시설 안전 : 운동장비의 사용방법과 사용 시 주의사항을 적절한 장소에 게시해야 한다.
③ 환경과 장소 안전 : 운동 동선을 파악하여 시설과 장비를 배치한다.
④ 시설 안전 : 무덥고 다습한 곳은 피해야 한다.

■①은 응급상황 관리
■③은 운동시설 관리
■④는 환경과 장소 관리
(pp. 95~96 참조)

심화문제

21 노인 운동시설에서 안전하게 장비를 제공하기 위한 설명으로 바르지 않은 것은?

① 장비는 적절하게 배치하고 정기적으로 검사하고 정비한다.
② 안전에 유념하라는 표시를 장비의 적절한 위치에 명확히 보이도록 한다.
③ 서류로 된 위기관리 계획을 작성해 보고하도록 한다.
④ 자주 사용하는 시설에는 표시나 스티커를 부착하지 않도록 한다.

■자주 사용하는 시설에도 표시나 스피커를 붙여야 한다.

필수문제

22 노인의 운동 중 발생한 응급상황에 대한 처치로 옳지 않은 것은?

① 골절이 발생하면 안정을 시키고 손상부위를 고정시킨다.
② 저혈당이 발생한 경우 빠르게 흡수될 수 있는 당분이 함유된 간식이나 음료를 섭취시킨다.
③ 저체온증이 발생하면 따뜻한 곳으로 옮기고 서서히 체온을 올려준다.
④ 심정지가 발생하면 즉시 119에 신고하고 `구급대가 도착할 때까지 기다린다.

■심정지환자에게는 즉시 심폐소생술을 실시해야 한다.

심화문제

23 노인의 운동 중 발생한 손상에 대한 지도자의 응급처치로 가장 적절한 것은?

① 의식이 있는 경우, 환자의 동의를 구해야 한다.
② 척추 손상 시에는 즉시 척추를 바로잡아 이동시킨다.
③ 손상 부위를 심장보다 낮게 하여 피를 말단 쪽으로 쏠리게 한다.
④ 타박상으로 부종이 생긴 경우, 온찜질을 냉찜질보다 먼저 실시한다.

■의식이 있는 환자는 동의를 구한 후 후속 조치를 취한다.
■척추 손상 시에는 무리하게 옮기기보다는 전문의가 올 때까지 기다리는 것이 좋다.
■손상 부위는 심장보다 높게 하여 피를 상단으로 쏠리게 한다.
■타박상으로 부종이 생긴 경우에는 냉찜질로 환부를 가라앉히는 것이 먼저이다.

정답 20 : ②, 21 : ④, 22 : ④, 23 : ①

심화문제

24 운동 중 노인의 심정지 상황에 대한 응급처치로 적절하지 않은 것은?

■ 심폐소생술 실시 중 환자의 의식이 돌아오지 않더라도 가슴압박을 중지해서는 안 된다.

① 심폐소생술 실시 중 의식이 돌아오지 않으면 가슴 압박을 중단한다.
② 자동제세동기를 이용할 수 있는 경우 사용한다.
③ 의식의 확인과 119 신고 후, 심폐소생술을 실시한다.
④ 의식이 없으면 묵시적 동의라고 간주하고 심폐소생술을 실시한다.

25 지도자가 노인의 운동을 중지시켜야 할 조건으로 적절하지 않은 것은?

■ 운동강도에 따른 심박수의 증가는 정상적이다(p. 97 참조).

① 급격하게 혈압이 상승할 때
② 참여자가 운동 중단을 요구할 때
③ 호흡곤란 및 하지경련이 발생할 때
④ 운동강도에 따라 심박수가 증가할 때

26 노인 운동 시 응급상황에 대한 대처 방법으로 옳지 않은 것은?

■ 호흡을 하고 있으면 심폐소생술을 실시하지 않아도 된다.

① 의식 없이 호흡이 있는 경우에 심폐소생술을 실시한다.
② 완전기도폐쇄 시 복부 밀쳐 올리기를 실시한다.
③ 골절이 의심되면 무리하게 움직이지 말고 안정시킨다.
④ 급성 손상 시 RICE 처치법을 실시한다.

27 응급처치에 대한 설명 중 가장 바른 것은?

① 심장질환의 징후가 나타나면 즉시 운동을 중지하고 병원으로 이송한다.
② 노인운동 시설에는 자동심장충격기(자동제세동기)를 설치할 필요가 없다.
③ 전문 심폐소생술은 장비 없이 시행하는 기도개방, 인공호흡을 말한다.
④ 운동 시 심한 피로나 근육통은 무시해도 된다.

필수문제

28 노인의 운동 참여를 제한해야 할 경우가 아닌 것은?

■ ②는 고혈당도 아니지만, 고혈당이더라도 운동을 제한할 필요는 없다.

① 심부전 징후가 나타날 경우
② 공복 시 혈당이 115~125mg/dl인 경우
③ 고온다습 또는 추운 환경인 경우
④ 약물로 조절이 잘 되지 않는 고혈압인 경우

정답 24 : ①, 25 : ④, 26 : ①, 27 : ①, 28 : ②